EDIÇÕES BESTBOLSO

Reunião de poesia

Adélia Prado nasceu em Divinópolis, Minas Gerais, em 1935. Aos 18 anos concluiu o curso de magistério e dois anos depois começou a lecionar em uma escola de sua cidade. Em meados da década de 1960 ingressou na faculdade de filosofia, graduando-se em 1973. No mesmo ano enviou uma carta e os originais de seus poemas para Affonso Romano de Sant'Anna, que os encaminhou a Carlos Drummond de Andrade. "Trata-se de um fenômeno", disse o poeta ao tomar conhecimento do texto de Adélia Prado. *Bagagem*, seu primeiro livro, foi publicado pela editora Imago em 1976 por indicação de Drummond. O ano de 1978 marca o lançamento de *O coração disparado*, agraciado com o Prêmio Jabuti de melhor livro de poesia. Estreou em prosa no ano seguinte, com a publicação de *Solte os cachorros*. Lançou seu segundo livro de prosa, *Cacos para um vitral*, em 1980, e em 1981, *Terra de Santa Cruz*. *Os componentes da banda*, seu terceiro romance, foi publicado em 1984, e, logo depois, os livros de poesia *O pelicano* e *A faca no peito*. Em 1991 foi publicada sua *Poesia reunida*. Nesta mesma década foram lançados *O homem da mão seca*, *Manuscritos de Felipa*, *Oráculos de maio* e sua *Prosa reunida*. Em 2001, foi lançado *Filandras*, e, em 2005, *Quero minha mãe*. *Quando eu era pequena* marca sua estreia na literatura infantil, em 2006, seguido em 2011 pelo novo infantil *Carmela vai à escola*. A obra poética de Adélia Prado foi encenada no teatro no emocionante monólogo *Dona Doida: um interlúdio*. Sucesso de público e crítica, a montagem protagonizada por Fernanda Montenegro no fim da década de 1980 percorreu várias cidades do Brasil e alguns países.

CB011295

ADÉLIA PRADO

Reunião de poesia

Prefácio de
ADILSON CITELLI

11ª edição

EDIÇÕES
BestBolso
RIO DE JANEIRO – 2025

CIP-BRASIL. CATALOGAÇÃO NA FONTE
SINDICATO NACIONAL DOS EDITORES DE LIVROS, RJ

Prado, Adélia, 1935

P915r   Reunião de poesia / Adélia Prado; prefácio de Adilson Citelli. –
11ª ed.   11ª ed. – Rio de Janeiro: BestBolso, 2025.

12 × 18 cm

ISBN 978-85-7799-403-8

1. Poesia brasileira. I. Título.

CDD: 869.91
13-1803   CDU: 821.134.3(81)-1

Reunião de poesia, de autoria de Adélia Prado.
Título número 339 das Edições BestBolso.
Texto revisado conforme o Acordo Ortográfico da Língua Portuguesa.

Copyright © 2013 by Adélia Luzia Prado de Freitas.

www.edicoesbestbolso.com.br

Design de capa: Rafael Nobre.

Todos os direitos reservados. Proibida a reprodução, no todo ou em parte, sem
autorização prévia por escrito da editora, sejam quais forem os meios empregados.

Direitos exclusivos de publicação em língua portuguesa para o Brasil em
formato bolso adquiridos pelas Edições BestBolso um selo da Editora Best Seller
Ltda. Rua Argentina 171 – 20921-380 – Rio de Janeiro, RJ – Tel.: (21) 2585-2000

Impresso no Brasil

ISBN 978-85-7799-403-8

Nota do editor

Esta antologia de bolso, composta de 150 poemas, foi organizada a partir dos sete livros de poesia da autora: *Bagagem* (1976), *O coração disparado* (1978), *Terra de Santa Cruz* (1981), *O pelicano* (1987), *A faca no peito* (1988), *Oráculos de maio* (1999) e *A duração do dia* (2010). Dos poemas selecionados, 133 foram especialmente escolhidos por Adélia Prado. A preparação de textos foi baseada em edições mais recentes, publicadas pela Editora Record a partir de 2001.

A poesia de Adélia perpassa pelo mais comum da vida cotidiana, e é na santificação dos menores atos que ela nos revela uma mulher em pleno transbordamento de paixão. A coletânea reunida neste livro é uma grande oportunidade de conhecer a comovente obra dessa autora.

Rio de Janeiro, maio de 2013

Prefácio à edição de bolso
O cotidiano revelado na poesia
de Adélia Prado[1]

Adilson Citelli[2]

Adélia Luzia Prado Freitas nasceu no dia 13 de dezembro de 1935, em Divinópolis, Minas Gerais. Filha do ferroviário João do Prado e da dona de casa Ana Clotildes Corrêa. Em 1953 concluiu o curso de formação de professores na Escola Normal Mário Casassanta. Dois anos depois passou a exercer o magistério no Ginásio Estadual Luiz de Mello Viana Sobrinho. Em 1973 concluiu o curso de filosofia, na Faculdade de Filosofia, Ciências e Letras de Divinópolis. Foi professora de

---

[1]Este texto, com modificações, foi publicado originalmente na revista *Comunicação & Educação*, n.1, n/abr 2009.
[2]Prof. Dr. da Escola de Comunicações e Artes/USP. O referido texto da revista *Comunicação & Educação* contou com a colaboração de Cristine Vargas.

várias disciplinas, como Educação Religiosa, Moral e Cívica, Filosofia da Educação, Introdução à Filosofia. Em 1958 casou-se, em Divinópolis, com José Assunção de Freitas. Tiveram cinco filhos.

Remeteu, em 1973, vários dos seus textos ao poeta e crítico literário Affonso Romano de Sant'Anna. Este não apenas reconheceu a excelência dos poemas como os encaminhou à apreciação de Carlos Drummond de Andrade, que fez a célebre afirmativa sobre a conterrânea mineira: "Adélia é lírica, bíblica, existencial, faz poesia como faz bom tempo: esta é a lei, não dos homens, mas de Deus. Adélia é fogo, fogo de Deus em Divinópolis."

Foi graças aos comentários críticos procedidos por Carlos Drummond de Andrade, na coluna que mantinha no *Jornal do Brasil*, que surgiu o interesse do editor Pedro Paulo de Sena Madureira, da Editora Imago, em conhecer os poemas de Adélia Prado, resultando, em 1976, na publicação do livro *Bagagem*, texto inaugural da larga produção da autora.

Em 1978, é publicado o livro *O coração disparado*, que recebe o Prêmio Jabuti, da Câmara Brasileira do Livro. Em 1979 estreia na prosa, publicando *Soltem os cachorros*. Em 1981 lançou *Terra de Santa Cruz*, seguido, em 1984, de *Os componentes da banda*. De 1983 a 1988, atuou como chefe da divisão cultural da Secretaria Municipal de Educação e da Cultura de Divinópolis.

No ano de 1988 veio a lume *A faca no peito* que traz o paradigmático poema "A formalística", no qual a autora apresenta uma maneira de ver e entender o próprio fazer poético. Em 1991 publica *Poesia reunida*. Após sete anos de silêncio literário, lança, em 1994, o romance *O homem da mão seca*. A partir daí seguem-se livros de poemas como *Oráculos de maio* (1999) e *A duração do dia* (2010) e de prosa, a exemplo de *Manuscritos de Felipa* (1999), e os infantis *Quando eu era pequena* (2006) e *Carmela vai à escola* (2011).

Em 1987, sob a direção de Naum Alves de Souza, Fernanda Montenegro representou um conjunto de textos de Adélia Prado, sob o título de *Dona Doida*.

A escritora sofreu influências mais diretas de Carlos Drummond de Andrade, Guimarães Rosa, Clarice Lispector, Murilo Mendes, Jorge de Lima e, sobretudo, da Bíblia.

A obra de Adélia Prado é frequentemente lembrada pelo cruzamento da religiosidade que singulariza a vida cotidiana, na qual pode ser considerada a ambiência de Divinópolis, e dos temas que expressam o grande mundo, em sua sequência de erotismo, tensões humanas, angústias.

O fazer poético da escritora, marcado por indicadores de simplicidade e prosaísmo, é atravessado por quintais, casas, hortas, cozinhas, salas, igrejas, cemitérios. Tais lugares funcionam como fontes expressivas da espiritualidade, das conversas entre amigos e familiares, da morte, da saudade do pai e da mãe falecidos, dos desejos do corpo, entre outros temas. Sendo o cotidiano da escritora singelo, comum, caseiro, sua poesia reflete e refrata tal universo, fato que produziu o estereótipo da dona de casa provincianamente mineira. A obra de Adélia Prado, a despeito de apresentar um plano de superfície sem grandes dificuldades de apreensão, é densamente carregada de significados, de construções simbólicas, de aberturas interpretativas. O que a coloca naquele patamar de transcendências e transfigurações próprias da grande literatura.

Frente à situação de prosaísmo, que matiza a aparente vida comum de uma dona de casa, irrompe para o leitor atento a dimensão epifânica do Belo e do Divino.[3] Tal deslocamento permitido pela força da palavra poética[4] faz com que à circunscrição cotidiana, particular, restrita espacialmente ao mundo no qual vive Adélia Prado, encontre os dramas mais profundos que cingem a própria humanidade. Neste caso seria possível retomar a máxima de Liev Tolstói segundo a qual nas circunscrições de uma aldeia é possível recuperar a dimensão do universal.

José Nêumanne Pinto ao identificar na obra de Adélia Prado a manifestação de uma fé com pé no chão reconhece a existência do instigante jogo entre planos confessio-

---

[3]Antônio Hohlfeldt. "A epifania da condição feminina". In: *Cadernos da literatura brasileira: Adélia Prado*. São Paulo, Instituto Moreira Salles, n.9. Junho 2000. pp. 69-120.
[4]Cristiane Fernandes Tavares. Metalinguagem: a palavra consagrada na poesia de Adélia Prado. In: *Revista Olho d´água*. São José do Rio Preto, UNESP, n.2 (1) 2010.

nais e de transparência.[5] Vale dizer, a produção poética da mineira nem esconde a fé nem a endossa liminarmente, resultando num percurso que ao mesmo tempo cede ao elemento religioso e dele diverge e, mesmo, duvida. É compreensível que na obra de Adélia Prado irrompam camadas de erotismo cruzando o profano e o sagrado. O gozo carnal e o êxtase espiritual espiam-se como se fossem faces bifrontes em permanente confrontação.

---

[5]A mineira Adélia Prado, poesia e prosa com fé no chão. In: *Jornal da Tarde.* São Paulo. 17/04/1999.

Bagagem

Os poemas reunidos em *Bagagem* foram reproduzidos da edição publicada
pela Editora Record (*Bagagem*, Rio de Janeiro, 2003). (*N. do E.*)

Louvai o Senhor, livro meu irmão, com vossas letras e palavras, com vosso verso e sentido, com vossa capa e forma, com as mãos de todos que vos fizeram existir, louvai o Senhor.

Da imitação do "Cântico das criaturas" de São Francisco de Assis, a quem devo a graça deste livro.

O modo poético

Chorando, chorando, sairão espalhando as sementes.
Cantando, cantando, voltarão trazendo os seus feixes.

Escrito nos salmos

COM LICENÇA POÉTICA

Quando nasci um anjo esbelto,
desses que tocam trombeta, anunciou:
vai carregar bandeira.
Cargo muito pesado pra mulher,
esta espécie ainda envergonhada.
Aceito os subterfúgios que me cabem,
sem precisar mentir.
Não sou tão feia que não possa casar,
acho o Rio de Janeiro uma beleza e
ora sim, ora não, creio em parto sem dor.
Mas o que sinto escrevo. Cumpro a sina.
Inauguro linhagens, fundo reinos
– dor não é amargura.
Minha tristeza não tem pedigree,
já a minha vontade de alegria,
sua raiz vai ao meu mil avô.
Vai ser coxo na vida é maldição pra homem.
Mulher é desdobrável. Eu sou.

GRANDE DESEJO

Não sou matrona, mãe dos Gracos, Cornélia,
sou é mulher do povo, mãe de filhos, Adélia.
Faço comida e como.
Aos domingos bato o osso no prato pra chamar o cachorro
e atiro os restos.
Quando dói, grito ai,
quando é bom, fico bruta,
as sensibilidades sem governo.
Mas tenho meus prantos,
claridades atrás do meu estômago humilde
e fortíssima voz pra cânticos de festa.
Quando escrever o livro com o meu nome
e o nome que eu vou pôr nele, vou com ele a uma igreja,
a uma lápide, a um descampado,
para chorar, chorar, e chorar,
requintada e esquisita como uma dama.

ORFANDADE

Meu Deus,
me dá cinco anos.
Me dá um pé de fedegoso com formiga preta,
me dá um Natal e sua véspera,
o ressonar das pessoas no quartinho.
Me dá a negrinha Fia pra eu brincar,
me dá uma noite pra eu dormir com minha mãe.
Me dá minha mãe, alegria sã e medo remediável,
me dá a mão, me cura de ser grande,
ó meu Deus, meu pai,
meu pai.

RESUMO

Gerou os filhos, os netos,
deu à casa o ar de sua graça
e vai morrer de câncer.
O modo como pousa a cabeça para um retrato
é o da que, afinal, aceitou ser dispensável.
Espera, sem uivos, a campa, a tampa, a inscrição:
1906-1970
SAUDADE DOS SEUS, LEONORA.

CÍRCULO

Na sala de janta da pensão
tinha um jogo de taças roxo-claro,
duas licoreiras grandes e elas em volta,
como duas galinhas com os pintinhos.
Tinha poeira, fumaça e a cor lilás.
Comíamos com fome, era 12 de outubro
e a Rádio Aparecida conclamava os fiéis
a louvar a Mãe de Deus, o que eu fazia
na cidade de Perdões, que não era bonita.
Plausível tudo.
As horas cabendo o dia,
a cristaleira os cristais
– resíduo pra esta memória –
sem uma palavra demais.
Foi quando disse e entendi:
cabe no tacho a colher.
Se um dia puder,
nem escrevo um livro.

MÓDULO DE VERÃO

As cigarras começaram de novo, brutas e brutas.
Nem um pouco delicadas as cigarras são.
Esguicham atarraxadas nos troncos
o vidro moído de seus peitos, todo ele
– chamado canto – cinzento-seco, garra
de pelo e arame, um áspero metal.
As cigarras têm cabeça de noiva,
as asas como véu, translúcidas.
As cigarras têm o que fazer,
têm olhos perdoáveis.
Quem não quis junto deles uma agulha?
– Filhinho meu, vem comer,
ó meu amor, vem dormir.
Que noite tão clara e quente,
ó vida tão breve e boa!
A cigarra atrela as patas
é no meu coração.
O que ela fica gritando eu não entendo,
sei que é pura esperança.

POEMA ESQUISITO

Dói-me a cabeça aos trinta e nove anos.
Não é hábito. É rarissimamente que ela dói.
Ninguém tem culpa.
Meu pai, minha mãe descansaram seus fardos,
não existe mais o modo
de eles terem seus olhos sobre mim.
Mãe, ô mãe, ô pai, meu pai. Onde estão escondidos?
É dentro de mim que eles estão.
Não fiz mausoléu pra eles, pus os dois no chão.
Nasceu lá, porque quis, um pé de saudade roxa,
que abunda nos cemitérios.
Quem plantou foi o vento, a água da chuva.
Quem vai matar é o sol.
Passou finados não fui lá, aniversário também não.
Pra quê, se pra chorar qualquer lugar me cabe?
É de tanto lembrá-los que eu não vou.
Ôôôô pai
Ôôôô mãe
Dentro de mim eles respondem
tenazes e duros,
porque o zelo do espírito é sem meiguices:
Ôôôôi fia.

AZUL SOBRE AMARELO, MARAVILHA E ROXO

Desejo, como quem sente fome ou sede,
um caminho de areia margeado de boninas,
onde só cabem a bicicleta e seu dono.
Desejo, com uma funda saudade
de homem ficado órfão pequenino,
um regaço e o acalanto, a amorosa tenaz de uns dedos
para um forte carinho em minha nuca.
Brotam os matinhos depois da chuva,
brotam os desejos do corpo.
Na alma, o querer de um mundo tão pequeno
como o que tem nas mãos o Menino Jesus de Praga.

PISTAS

Não pode ser uma ilusão fantástica
o que nos faz domingo após domingo
visitar os parentes, insistir
que assim é melhor, que de fato um bom
emprego é meio caminho andado.
Não pode ser verdade
que tanto afã escave na insolvência.
Há voos maravilhosos de ave,
aviões tão belos repousando nos campos
e o que é piedoso no morto:
não seu sexo murcho,
mas suas mãos empenhadas sobre o peito.

EXAUSTO

Eu quero uma licença de dormir,
perdão pra descansar horas a fio,
sem ao menos sonhar
a leve palha de um pequeno sonho.
Quero o que antes da vida
foi o profundo sono das espécies,
a graça de um estado.
Semente.
Muito mais que raízes.

PÁSCOA

Velhice
é um modo de sentir frio que me assalta
e uma certa acidez.
O modo de um cachorro enrodilhar-se
quando a casa se apaga e as pessoas se deitam.
Divido o dia em três partes:
a primeira pra olhar retratos,
a segunda pra olhar espelhos,
a última e maior delas, pra chorar.
Eu, que fui loura e lírica,
não estou pictural.
Peço a Deus,
em socorro da minha fraqueza,
abrevie esses dias e me conceda um rosto
de velha mãe cansada, de avó boa,
não me importo. Aspiro mesmo
com impaciência e dor.
Porque sempre há quem diga
no meio da minha alegria:
'põe o agasalho'
'tens coragem?'
'por que não vais de óculos?'
Mesmo rosa sequíssima e seu perfume de pó,
quero o que desse modo é doce,

o que de mim diga: assim é.
Pra eu parar de temer e posar pra um retrato,
ganhar uma poesia em pergaminho.

AGORA, Ó JOSÉ

É teu destino, ó José,
a esta hora da tarde,
se encostar na parede,
as mãos para trás.
Teu paletó abotoado
de outro frio te guarda,
enfeita com três botões
tua paciência dura.
A mulher que tens, tão histérica,
tão histórica, desanima.
Mas, ó José, o que fazes?
Passeias no quarteirão
o teu passeio maneiro
e olhas assim e pensas,
o modo de olhar tão pálido.
Por improvável não conta
o que tu sentes, José?
O que te salva da vida
é a vida mesma, ó José,
e o que sobre ela está escrito
a rogo de tua fé:
"No meio do caminho tinha uma pedra",
"Tu és pedra e sobre esta pedra",
a pedra, ó José, a pedra.

Resiste, ó José. Deita, José,
dorme com tua mulher,
gira a aldraba de ferro pesadíssima.
O reino do céu é semelhante a um homem
como você, José.

CLAREIRA

Seria tão bom, como já foi,
as comadres se visitarem nos domingos.
Os compadres fiquem na sala, cordiosos,
pitando e rapando a goela. Os meninos,
farejando e mijando com os cachorros.
Houve esta vida ou inventei?
Eu gosto de metafísica, só pra depois
pegar meu bastidor e bordar ponto de cruz,
falar as falas certas: a de Lurdes casou,
a das Dores se forma, a vaca fez, aconteceu,
as santas missões vêm aí, vigiai e orai
que a vida é breve.
Agora que o destino do mundo pende do meu palpite,
quero um casal de compadres, molécula de sanidade,
pra eu sobreviver.

IMPRESSIONISTA

Uma ocasião,
meu pai pintou a casa toda
de alaranjado brilhante.
Por muito tempo moramos numa casa,
como ele mesmo dizia,
constantemente amanhecendo.

A DESPROPÓSITO

Olhou para o teto, a telha parecia um quadrado de doce.
Ah! – falou sem se dar conta de que descobria, durando
[desde
a infância, aquela hora do dia, mais um galo cantando,
um corte de trator, as três camadas de terra,
a ocre, a marrom, a roxeada. Um pasto,
não tinha certeza se uma vaca
e o sarilho da cisterna desembestado, a lata
batendo no fundo com estrondo.
Quando insistiram, vem jantar, que esfria,
ele foi e disse antes de comer:
'Qualidade de telha é essas de antigamente'.

A HORA GRAFADA

De noite no mato as árvores semelhavam
uma águia acabada de pousar,
um anjo saudando,
um galo perfeitinho,
uma ave grande vista de frente.
De noite no mato, as vivas figuras enraizadas,
prontas a falar ou bater asas.

BUCÓLICA NOSTÁLGICA

Ao entardecer no mato, a casa entre
bananeiras, pés de manjericão e cravo-santo,
aparece dourada. Dentro dela, agachados,
na porta da rua, sentados no fogão, ou aí mesmo,
rápidos como se fossem ao Êxodo, comem
feijão com arroz, taioba, ora-pro-nobis,
muitas vezes abóbora.
Depois, café na canequinha e pito.
O que um homem precisa pra falar,
entre enxada e sono: Louvado seja Deus!

PARA COMER DEPOIS

Na minha cidade, nos domingos de tarde,
as pessoas se põem na sombra com faca e laranjas.
Tomam a fresca e riem do rapaz de bicicleta,
a campainha desatada, o aro enfeitado de laranjas:
'Eh bobagem!'
Daqui a muito progresso tecno-ilógico,
quando for impossível detectar o domingo
pelo sumo das laranjas no ar e bicicletas,
em meu país de memória e sentimento,
basta fechar os olhos:
é domingo, é domingo, é domingo.

ATÁVICA

Minha mãe me dava o peito e eu escutava,
o ouvido colado à fonte dos seus suspiros:
'Ó meu Deus, meu Jesus, misericórdia'.
Comia leite e culpa de estar alegre quando fico.
Se ficasse na roça ia ser carpideira, puxadeira de terço,
cantadeira, o que na vida é beleza sem esfuziamentos,
as tristezas maravilhosas.
Mas eu vim pra cidade fazer versos tão tristes
que dão gosto, meu Jesus misericórdia.
Por prazer da tristeza eu vivo alegre.

EXPLICAÇÃO DE POESIA
SEM NINGUÉM PEDIR

Um trem de ferro é uma coisa mecânica,
mas atravessa a noite, a madrugada, o dia,
atravessou minha vida,
virou só sentimento.

ENDECHA

Embora a velha roseira insista neste agosto
e confirmem o recomeço estas mulheres grávidas,
eu sofro de um cansaço, intermitente como certas febres.
Me acontece lavar os cabelos e ir secá-los ao sol,
desavisada. Ocorre até que eu cante.
Mas pousa na canção a negra ave e eu desafino rouca,
em descompasso, uma perna mais curta,
a ausência ocupando todos os meus cômodos,
a lembrança endurecida no cristal
de uma pedra na uretra.

UM HOMEM DOENTE
FAZ A ORAÇÃO DA MANHÃ

Pelo sinal da Santa Cruz,
chegue até Vós meu ventre dilatado
e Vos comova, Senhor, meu mal sem cura.
Inauguro o dia, eu que a meu crédito explico
que passei em claro a treva da noite.
Escutei – e é quando às vezes descanso –
vozes de há mais de trinta anos.
Vi no meio da noite nesgas claríssimas de sol.
Minha mãe falou,
enxotei gatos lambendo
o prato da minha infância.
Livrai-me de lançar contra Vós
a tristeza do meu corpo
e seu apodrecimento cuidadoso.
Mas desabafo dizendo:
que irado amor Vós tendes.
Tem piedade de mim,
tem piedade de mim
pelo sinal da Vossa Cruz,
que faço na testa, na boca, no coração.
Da ponta dos pés à cabeça,
de palma à palma da mão.

ENDECHA DAS TRÊS IRMÃS

As três irmãs conversavam em binário lentíssimo.
A mais nova disse: tenho um abafamento aqui,
e pôs a mão no peito.
A do meio disse: sei fazer umas rosquinhas.
A mais velha disse: faço quarenta anos, já.
A mais nova tem a moda de ir chorar no quintal.
A do meio está grávida.
A mais cruel se enterneceu por plantas.
Nosso pai morreu, diz a primeira,
nossa mãe morreu, diz a segunda,
somos três órfãs, diz a terceira.
Vou recolher a roupa no quintal, fala a primeira.
Será que chove?, fala a segunda.
Já viram minhas sempre-vivas?, falou a terceira,
a de coração duro, e soluçou.
Quando a chuva caiu ninguém ouviu os três choros
dentro da casa fechada.

BENDITO

Louvado sejas Deus meu Senhor,
porque o meu coração está cortado a lâmina,
mas sorrio no espelho ao que,
à revelia de tudo, se promete.
Porque sou desgraçado
como um homem tangido para a forca,
mas me lembro de uma noite na roça,
o luar nos legumes e um grilo,
minha sombra na parede.
Louvado sejas, porque eu quero pecar
contra o afinal sítio aprazível dos mortos,
violar as tumbas com o arranhão das unhas,
mas vejo Tua cabeça pendida
e escuto o galo cantar
três vezes em meu socorro.
Louvado sejas, porque a vida é horrível,
porque mais é o tempo que eu passo recolhendo os
                                        [despojos,
– velho ao fim da guerra com uma cabra –
mas limpo os olhos e o muco do meu nariz,
por um canteiro de grama.
Louvado sejas porque eu quero morrer
mas tenho medo e insisto em esperar o prometido.
Uma vez, quando eu era menino, abri a porta de noite,

a horta estava branca de luar
e acreditei sem nenhum sofrimento.
Louvado sejas!

REFRÃO E ASSUNTO DE CAVALEIRO
E SEU CAVALO MEDROSO

Ô estrela-d'alva,
ô lua...
Tristeza é o luar nos ermos
do sertão, minas gerais.
Eh saudade! de quê, meu Deus?
Não sei mais.
Ô estrela-d'alva,
ô lua...
O escuro é duro ou macio?
meu cavalo perguntou.
Eu lhe respondi: galopa,
é pra Deus que eu vou.
Ô estrela-d'alva,
ô lua...
Ô estrela-d'alva, gritei
na cava, pra espantar o breu.
Alva alva alva alva
precipício respondeu.
Ô estrela-d'alva,
ô lua...
No fim da viagem, no fim da noite,
tem uma porteira se abrindo
pra madrugada suspensa.

É pra lá que eu vou,
pro céu e pro ar, rosilho,
para os pastos de orvalho.
Ô estrela-d'alva,
ô lua...
Quanto tempo dura a noite?
meu cavalo perguntou.
O tempo é de Deus, eu disse.
E esporeei.
Ô estrela-d'alva,
ô lua...
ô alva...

ANÍMICO

Nasceu no meu jardim um pé de mato
que dá flor amarela.
Toda manhã vou lá pra escutar a zoeira
da insetaria na festa.
Tem zoado de todo jeito:
tem do grosso, do fino, de aprendiz e de mestre.
É pata, é asa, é boca, é bico,
é grão de poeira e pólen na fogueira do sol.
Parece que a arvorinha conversa.

DESCRITIVO

As formigas passeiam na parede,
perto de um vidro de cola que perdeu a rolha. Há mais:
um maço de jornais, uma bilha e seu gargalo fálico,
um copo de plástico e um quiabo seco,
guardado ali por causa das sementes.
Tudo sobre uma cômoda, num quarto.
O vidro de cola está arrolhado com uma bucha de papel.
É sábado, é tarde, é túrgida minha bexiga feminina
e por isso vai ser menos belo que eu me levante e a esvazie.
Os analistas dirão, segundo Freud: complexo de castração.
Eu não digo nada, pela primeira vez, humildemente.
Vou me deitar pra dormir, não antes sem rezar,
pelos meus e os teus.

CABEÇA

Quando eu sofria dos nervos,
não passava debaixo de fio elétrico,
tinha medo de chuva, de relâmpio,
nojo de certos bichos que eu não falo
pra não ter de lavar minha boca com cinza.
Qualquer casca de fruta eu apanhava.
Hoje, que sarei, tenho uma vida e tanto:
já seguro nos fios com a chave desligada
e lembrei de arrumar pra mim esta capa de plástico,
dia e noite eu não tiro, até durmo com ela.
Caso chova, tenho trabalho nenhum.
Casca, mesmo sendo de banana ou de manga,
eu não intervo, quem quiser que se cuide.
Abastam as placas de ATENÇÃO! que eu escrevo
e ponho perto. Um bispo, quando tem zelo
apostólico, é uma coisa charmosa.
Não canso de explicar isso pro pastor
da minha diocese, mas ele não entende
e fica falando: 'minha filha, minha filha',
ele pensa que é *Woman's Lib*, pensa
que a fé tá lá em cima e cá em baixo
é mau gosto só. É ruim, é ruim,
ninguém entende. Gritava até parar,
quando eu sofria dos nervos.

SÍTIO

Igreja é o melhor lugar.
Lá o gado de Deus para pra beber água,
rela um no outro os chifres
e espevita seus cheiros
que eu reconheço e gosto,
a modo de um cachorro.
É minha raça, estou
em casa como no meu quarto.
Igreja é a casamata de nós.
Tudo lá fica seguro e doce,
tudo é ombro a ombro buscando a porta estreita.
Lá as coisas dilacerantes sentam-se
ao lado deste humaníssimo fato
que é fazer flores de papel
e nos admiramos como tudo é crível.
Está cheia de sinais, palavra,
cofre e chave, nave e teto aspergidos
contra vento e loucura.
Lá me guardo, lá espreito
a lâmpada que me espreita, adoro
o que me subjuga a nuca como a um boi.
Lá sou corajoso
e canto com meu lábio rachado:
glória no mais alto dos céus

a Deus que de fato é espírito
e não tem corpo, mas tem
o olho no meio de um triângulo
donde vê todas as coisas,
até os pensamentos futuros.
Lugar sagrado, eletricidade
que eu passeio sem medo.
Se eu pisar,
o amor de Deus me mata.

TABARÉU

Vira e mexe eu penso é numa toada só.
Fiz curso de filosofia pra escovar o pensamento,
não valeu. O mais universal a que chego
é a recepção de Nossa Senhora de Fátima
em Santo Antônio do Monte.
Duas mil pessoas com velas louvando Maria
num oco de escuro, pedindo bom parto,
moço de bom gênio pra casar,
boa hora pra nascer e morrer.
O cheiro do povo espiritado,
isso eu entendo sem desatino.
Porque, mercê de Deus, o poder que eu tenho
é de fazer poesia, quando ela insiste feito
água no fundo da mina, levantando morrinho de areia.
É quando clareia e refresca, abre sol, chove,
conforme necessidades.
Às vezes dá até de escurecer de repente
com trovoada e raio. Não desaponta nunca.
É feito sol.
Feito amor divino.

Um jeito e amor

*Confortai-me com flores, fortalecei-me
com frutos, porque desfaleço de amor.*

Cântico dos Cânticos

AMOR VIOLETA

O amor me fere é debaixo do braço,
de um vão entre as costelas.
Atinge o meu coração é por esta via inclinada.
Eu ponho o amor no pilão com cinza
e grão de roxo e soco. Macero ele,
faço dele cataplasma
e ponho sobre a ferida.

A SERENATA

Uma noite de lua pálida e gerânios
ele viria com boca e mão incríveis
tocar flauta no jardim.
Estou no começo do meu desespero
e só vejo dois caminhos:
ou viro doida ou santa.
Eu que rejeito e exprobo
o que não for natural como sangue e veias
descubro que estou chorando todo dia,
os cabelos entristecidos
a pele assaltada de indecisão.
Quando ele vier, porque é certo que vem,
de que modo vou chegar ao balcão sem juventude?
A lua, os gerânios e ele serão os mesmos
– só a mulher entre as coisas envelhece.
De que modo vou abrir a janela, se não for doida?
Como a fecharei, se não for santa?

O SEMPRE AMOR

Amor é a coisa mais alegre
amor é a coisa mais triste
amor é coisa que mais quero.
Por causa dele falo palavras como lanças.
Amor é a coisa mais alegre
amor é a coisa mais triste
amor é coisa que mais quero.
Por causa dele podem entalhar-me,
sou de pedra-sabão.
Alegre ou triste,
amor é coisa que mais quero.

A MEIO PAU

Queria mais um amor. Escrevi cartas,
remeti pelo correio a copa de uma árvore,
pardais comendo no pé um mamão maduro
– coisas que não dou a qualquer pessoa –
e mais que tudo, taquicardias,
um jeito de pensar com a boca fechada,
os olhos tramando um gosto.
Em vão.
Meu bem não leu, não escreveu,
não disse essa boca é minha.
Outro dia perguntei a meu coração:
o que que há durão, mal de chagas te comeu?
Não, ele disse: é desprezo de amor.

OS LUGARES COMUNS

Quando o homem que ia casar comigo
chegou a primeira vez na minha casa,
eu estava saindo do banheiro, devastada
de angelismo e carência. Mesmo assim,
ele me olhou com olhos admirados
e segurou minha mão mais que
um tempo normal a pessoas
acabando de se conhecer.
Nunca mencionou o fato.
Até hoje me ama com amor
de vagarezas, súbitos chegares.
Quando eu sei que ele vem,
eu fecho a porta para a grata surpresa.
Vou abri-la como o fazem as noivas
e as amantes. Seu nome é:
Salvador do meu corpo.

PSICÓRDICA

Vamos dormir juntos, meu bem,
sem sérias patologias.
Meu amor é este ar tristonho
que eu faço pra te afligir,
um par de fronhas antigas
onde eu bordei nossos nomes
com ponto cheio de suspiros.

BILHETE EM PAPEL ROSA

A meu amado secreto, Castro Alves

Quantas loucuras fiz por teu amor, Antônio.
Vê estas olheiras dramáticas,
este poema roubado:
"o cinamomo floresce
em frente do teu postigo.
Cada flor murcha que desce,
morro de sonhar contigo".
Ó bardo, eu estou tão fraca
e teu cabelo é tão negro,
eu vivo tão perturbada,
pensando com tanta força
meu pensamento de amor,
que já nem sinto mais fome,
o sono fugiu de mim. Me dão mingaus,
caldos quentes, me dão prudentes conselhos
e eu quero é a ponta sedosa do teu bigode atrevido,
a tua boca de brasa, Antônio, as nossas vidas ligadas.
Antônio lindo, meu bem,
ó meu amor adorado,
Antônio, Antônio.
Para sempre tua.

UM JEITO

Meu amor é assim, sem nenhum pudor.
Quando aperta eu grito da janela
– ouve quem estiver passando –
ô fulano, vem depressa.
Tem urgência, medo de encanto quebrado,
é duro como osso duro.
Ideal eu tenho de amar como quem diz coisas:
quero é dormir com você, alisar seu cabelo,
espremer de suas costas as montanhas pequenininhas
de matéria branca. Por hora dou é grito e susto.
Pouca gente gosta.

CONFEITO

Quero comer bolo de noiva,
puro açúcar, puro amor carnal
disfarçado de coração e sininhos:
um branco, outro cor-de-rosa,
um branco, outro cor-de-rosa.

FATAL

Os moços tão bonitos me doem,
impertinentes como limões novos.
Eu pareço uma atriz em decadência,
mas, como sei disso, o que sou
é uma mulher com um radar poderoso.
Por isso, quando eles não me veem
como se me dissessem: acomoda-te no teu galho,
eu penso: bonitos como potros. Não me servem.
Vou esperar que ganhem indecisão. E espero.
Quando cuidam que não,
estão todos no meu bolso.

AMOR FEINHO

Eu quero amor feinho.
Amor feinho não olha um pro outro.
Uma vez encontrado é igual fé,
não teologa mais.
Duro de forte o amor feinho é magro, doido por sexo
e filhos tem os quantos haja.
Tudo que não fala, faz.
Planta beijo de três cores ao redor da casa
e saudade roxa e branca,
da comum e da dobrada.
Amor feinho é bom porque não fica velho.
Cuida do essencial; o que brilha nos olhos é o que é:
eu sou homem você é mulher.
Amor feinho não tem ilusão,
o que ele tem é esperança:
eu quero amor feinho.

BRIGA NO BECO

Encontrei meu marido às três horas da tarde
com uma loura oxidada.
Tomavam guaraná e riam, os desavergonhados.
Ataquei-os por trás com mão e palavras
que nunca suspeitei conhecer.
Voaram três dentes e gritei, esmurrei-os e gritei,
gritei meu urro, a torrente de impropérios.
Ajuntou gente, escureceu o sol,
a poeira adensou como cortina.
Ele me pegava nos braços, nas pernas, na cintura,
sem me reter, peixe-piranha, bicho pior, fêmea-ofendida,
uivava.
Gritei, gritei, gritei, até a cratera exaurir-se.
Quando não pude mais fiquei rígida,
as mãos na garganta dele, nós dois petrificados,
eu sem tocar o chão. Quando abri os olhos,
as mulheres abriam alas, me tocando, me pedindo graças.
Desde então faço milagres.

CANÇÃO DE AMOR

Veio o câncer no fígado, veio o homem
pulando da cama no chão e andando
de gatinhas, gritando: 'me deixa, gente,
me deixa', tanta era sua dor sem remédio.
Veio a morte e nesta hora H, a camisa sem botão.
Eu supliquei: eu prego, gente, eu prego,
mas, espera, deixa eu chorar primeiro.
Ah, disseram Marta e Maria, se estivésseis aqui,
nosso irmão não teria morrido. Espera, disse Jesus,
deixa eu chorar primeiro.
Então se pode chorar? Eu posso então?
Se me perguntassem agora da alegria da vida,
eu só tinha a lembrança de uma flor miudinha.
Pode não ser só isso, hoje estou muito triste,
o que digo, desdigo. Mas a Palavra de Deus
é a verdade. Por isso esta canção tem o nome que tem.

PARA O ZÉ

Eu te amo, homem, hoje como
toda vida quis e não sabia,
eu que já amava de extremoso amor
o peixe, a mala velha, o papel de seda e os riscos
de bordado, onde tem
o desenho cômico de um peixe – os
lábios carnudos como os de uma negra.
Divago, quando o que quero é só dizer
te amo. Teço as curvas, as mistas
e as quebradas, industriosa como abelha,
alegrinha como florinha amarela, desejando
as finuras, violoncelo, violino, menestrel
e fazendo o que sei, o ouvido no teu peito
para escutar o que bate. Eu te amo, homem, amo
o teu coração, o que é, a carne de que é feito,
amo sua matéria, fauna e flora,
seu poder de perecer, as aparas de tuas unhas
perdidas nas casas que habitamos, os fios
de tua barba. Esmero. Pego tua mão, me afasto, viajo
pra ter saudade, me calo, falo em latim pra requintar meu
[gosto:
"Dize-me, ó amado da minha alma, onde apascentas
o teu gado, onde repousas ao meio-dia, para que eu não
ande vagueando atrás dos rebanhos de teus companheiros".

Aprendo. Te aprendo, homem. O que a memória ama
fica eterno. Te amo com a memória, imperecível.
Te alinho junto das coisas que falam
uma coisa só: Deus é amor. Você me espicaça como
o desenho do peixe da guarnição de cozinha, você me
[guarnece,
tira de mim o ar desnudo, me faz bonita
de olhar-me, me dá uma tarefa, me emprega,
me dá um filho, comida, enche minhas mãos.
Eu te amo, homem, exatamente como amo o que
acontece quando escuto oboé. Meu coração vai
[desdobrando
os panos, se alargando aquecido, dando
a volta ao mundo, estalando os dedos pra pessoa e bicho.
Amo até a barata, quando descubro que assim te amo,
o que não queria dizer amo também, o piolho. Assim,
te amo do modo mais natural, vero-romântico,
homem meu, particular homem universal.
Tudo que não é mulher está em ti, maravilha.
Como grande senhora vou te amar, os alvos linhos,
a luz na cabeceira, o abajur de prata;
como criada ama, vou te amar, o delicioso amor:
com água tépida, toalha seca e sabonete cheiroso,
me abaixo e lavo teus pés, o dorso e a planta deles
eu beijo.

A sarça ardente

*Uma chama de fogo saía do meio de
uma sarça que ardia sem se consumir.*

Escrito no Êxodo

JANELA

Janela, palavra linda.
Janela é o bater das asas da borboleta amarela.
Abre pra fora as duas folhas de madeira à toa pintada,
janela jeca, de azul.
Eu pulo você pra dentro e pra fora, monto a cavalo em
[você,
meu pé esbarra no chão.
Janela sobre o mundo aberta, por onde vi
o casamento da Anita esperando neném, a mãe
do Pedro Cisterna urinando na chuva, por onde vi
meu bem chegar de bicicleta e dizer a meu pai:
minhas intenções com sua filha são as melhores possíveis.
Ô janela com tramela, brincadeira de ladrão,
claraboia na minha alma,
olho no meu coração.

CHORINHO DOCE

Eu já tive e perdi
uma casa,
um jardim,
uma soleira,
uma porta,
um caixão de janela com um perfil.
Eu sabia uma modinha e não sei mais.
Quando a vida dá folga, pego a querer
a soleira,
o portal,
o jardim mais a casa,
o caixão de janela e aquele rosto de banda.
Tudo impossível,
tudo de outro dono,
tudo de tempo e vento.
Então me dá choro, horas e horas,
o coração amolecido como um figo na calda.

O VESTIDO

No armário do meu quarto escondo de tempo e traça
meu vestido estampado em fundo preto.
É de seda macia desenhada em campânulas vermelhas
à ponta de longas hastes delicadas.
Eu o quis com paixão e o vesti como um rito,
meu vestido de amante.
Ficou meu cheiro nele, meu sonho, meu corpo ido.
É só tocá-lo, e volatiliza-se a memória guardada:
eu estou no cinema e deixo que segurem minha mão.
De tempo e traça meu vestido me guarda.

A CANTIGA

"Ai cigana, ciganinha,
ciganinha meu amor."
Quando escutei essa cantiga
era hora do almoço, há muitos anos.
A voz da mulher cantando vinha de uma cozinha,
ai ciganinha, a voz de bambu rachado
continua tinindo, esganiçada, linda,
viaja pra dentro de mim, o meu ouvido cada vez melhor.
Canta, canta, mulher, vai polindo o cristal,
canta mais, canta que eu acho minha mãe,
meu vestido estampado, meu pai tirando boia da panela,
canta que eu acho minha vida.

DONA DOIDA

Uma vez, quando eu era menina, choveu grosso,
com trovoada e clarões, exatamente como chove agora.
Quando se pôde abrir as janelas,
as poças tremiam com os últimos pingos.
Minha mãe, como quem sabe que vai escrever um poema,
decidiu inspirada: chuchu novinho, angu, molho de ovos.
Fui buscar os chuchus e estou voltando agora,
trinta anos depois. Não encontrei minha mãe.
A mulher que me abriu a porta riu de dona tão velha,
com sombrinha infantil e coxas à mostra.
Meus filhos me repudiaram envergonhados,
meu marido ficou triste até a morte,
eu fiquei doida no encalço.
Só melhoro quando chove.

VEROSSÍMIL

Antigamente, em maio, eu virava anjo.
A mãe me punha o vestido, as asas,
me encalcava a coroa na cabeça e encomendava:
'canta alto, espevita as palavras bem'.
Eu levantava voo rua acima.

REGISTRO

Visíveis no facho de ouro jorrado porta adentro,
mosquitinhos, grãos maiores de pó.
A mãe no fogão atiça as brasas
e acende na menina o nunca mais apagado da memória:
uma vez banqueteando-se, comeu feijão com arroz
mais um facho de luz. Com toda fome.

MOSAICO

Joaquim João era artista de teatro.
Dava as mãos a Julietinha Marra e cantava 'adeus-amor'.
Fiquei picada de inquieto mel.
Às onze Joaquim subia do serviço
com o paletó jogado num ombro só. Escondida eu cantava
'adeus-amor', com direta intenção e longo fôlego.
Joaquim virava a cabeça ao esganiçado código
e eu cantava mais alto. Um dia, o melhor, se virou duas
                                                    [vezes.
Eu descia da árvore, macaca sentimental, e ia
fazer xixi na calcinha, só para experimentar,
desenhar cinco salamão, rezar o anjo
do Senhor anunciou a Maria e ela concebeu,
o que era igual Letícia vindo brincar,
o hálito saborosíssimo de concebolas.

ENSINAMENTO

Minha mãe achava estudo
a coisa mais fina do mundo.
Não é.
A coisa mais fina do mundo é o sentimento.
Aquele dia de noite, o pai fazendo serão,
ela falou comigo:
'coitado, até essa hora no serviço pesado'.
Arrumou pão e café, deixou tacho no fogo com água
                                          [quente.
Não me falou em amor.
Essa palavra de luxo.

INSÔNIA

O homem vigia.
Dentro dele, estumados,
uivam os cães da memória.
Aquela noite, o luar
e o vento no cipó-prata e ele,
o medo a cavalo nele,
ele a cavalo em fuga
das folhas do cipó-prata.
A mãe no fogão cantando,
os zangões, a poeira, o ar anímico.
Ladra seu sonho insone,
em saudade, vinagre e doçura.

FÉ

Uma vez, da janela, vi um homem
que estava prestes a morrer,
comendo banana amassada.
A linha do seu queixo era já de fronteiras,
mas ele não sabia, ou sabia?
Como posso saber?
Comia, achando gostoso,
me oferecendo corriqueiro, todavia
inopinado perguntou
– ou perguntou comum como das outras vezes? –
Como será a ressurreição da carne?
É como nós já sabemos, eu lhe disse,
tudo como é aqui, mas sem as ruindades.
Que mistério profundo!, ele falou
e falou mais, graças a Deus,
pousando o prato.

O RETRATO

Eu quero a fotografia,
os olhos cheios d'água sob as lentes,
caminhando de terno e gravata,
o braço dado com a filha.
Eu quero a cada vez olhar e dizer:
estava chorando. E chorar.
Eu quero a dor do homem na festa de casamento,
seu passo guardado, quando pensou:
a vida é amarga e doce?
Eu quero o que ele viu e aceitou corajoso,
os olhos cheios d'água sob as lentes.

O REINO DO CÉU

Depois da morte
eu quero tudo o que seu vácuo abrupto
fixou na minha alma.
Quero os contornos
desta matéria imóvel de lembrança,
desencantados deste espaço rígido.
Como antes, o jeito próprio
de puxar a camisa pela manga
e limpar o nariz.
A camisa engrossada de limalha de ferro mais
o suor, os dois cheiros impregnados,
a camisa personalíssima atrás da porta.
Eu quero depois, quando viver de novo,
a ressurreição e a vida escamoteando
o tempo dividido, eu quero o tempo inteiro.
Sem acabar nunca mais, a mão socando o joelho,
a unha a canivete – a coisa mais viril que eu conheci.
Eu vou querer o prato e a fome,
um dia sem tomar banho,
a gravata pro domingo de manhã,
a homilia repetida antes do almoço:
'conforme diz o Evangelho, meus filhos, se
tivermos fé, a montanha mudará de lugar'.
Quando eu ressuscitar, o que quero é

a vida repetida sem o perigo da morte,
os riscos todos, a garantia:
à noite estaremos juntos, a camisa no portal.
Descansaremos porque a sirene apita
e temos que trabalhar, comer, casar,
passar dificuldades, com o temor de Deus,
para ganhar o céu.

MODINHA

Quando eu fico aguda de saudade eu viro só ouvido.
Encosto ele no ar, na terra, no canto das paredes,
pra escutar nefando, a palavra nefando.
Um homem que já morreu cantava "a flor mimosa
desbotar não pode, nem mesmo o tempo
de um poder nefando" – mais dolorido canta
quem não é cantor.
A alma dele zoando de tão grave, tocável
como o ar de sua garganta vibrando.
No juízo final, se Deus permitisse,
eu acordava um morto com este canto,
mais que o anjo com sua trombeta.

FIGURATIVA

O pai cavando o chão mostrou pra nós,
com o olho da enxada, o bicho bobo,
a cobra de duas cabeças.
Saía dele o cheiro de óleo e graxa,
cheiro-suor de oficina, o brabo cheiro bom.
Nós tínhamos comido a janta quente
de pimenta e fumaça, angu e mostarda.
Pisando a terra que ele desbarrancava aos socavões,
catava tanajuras voando baixo,
na poeira de ouro das cinco horas.
A mãe falou pra mim: 'vai na sua avó buscar polvilho
vou fritar é uns biscoitos pra nós'.
A voz dela era sem acidez. 'Arreda, arreda',
o pai falava com amor.
As tanajuras no sol, a beira da linha,
o verde do capim espirrando entre os tijolos
da beirada da casa descascada, a menina embaraçada
com a opressão da alegria, o coração doendo,
como se triste fosse.

PARA PERPÉTUA MEMÓRIA

Depois de morrer, ressuscitou
e me apareceu em sonhos muitas vezes.
A mesma cara sem sombras, os graves da fala
em cantos, as palavras sem pressa,
inalterada, a qualidade do sangue,
inflamável como o dos touros.
Seguia de opa vermelha, em procissão,
uma banda de música e cantava.
Que cantasse, era a natureza do sonho.
Que fosse alto e bonito o canto, era sua matéria.
Aconteciam na praça sol e pombos
de asa branca e marrom que debandavam.
Como um traço grafado horizontal,
seu passo marcial atrás da música,
o canto, a opa vermelha, os pombos,
o que entrevi sem erro:
a alegria é tristeza,
é o que mais punge.

AS MORTES SUCESSIVAS

Quando minha irmã morreu eu chorei muito
e me consolei depressa. Tinha um vestido novo
e moitas no quintal onde eu ia existir.
Quando minha mãe morreu, me consolei mais lento
Tinha uma perturbação recém-achada:
meus seios conformavam dois montículos
e eu fiquei muito nua,
cruzando os braços sobre eles é que eu chorava
Quando meu pai morreu, nunca mais me consolei.
Busquei retratos antigos, procurei conhecidos,
parentes, que me lembrassem sua fala,
seu modo de apertar os lábios e ter certeza.
Reproduzi o encolhido do seu corpo
em seu último sono e repeti as palavras
que ele disse quando toquei seus pés:
'deixa, tá bom assim'.
Quem me consolará desta lembrança?
Meus seios se cumpriram
e as moitas onde existo
são pura sarça ardente de memória.

O coração disparado

*Com efeito, eu mesma recebi
do Senhor o que vos transmito.*

Tal em I Co 11,23

Os poemas reunidos em *O coração disparado* foram reproduzidos da edição publicada pela Editora Record (*O coração disparado*, Rio de Janeiro, 2006). (*N. do E.*)

LINHAGEM

Minha árvore ginecológica
me transmitiu fidalguias,
gestos marmorizáveis:
meu pai, no dia do seu próprio casamento,
largou minha mãe sozinha e foi pro baile.
Minha mãe tinha um vestido só, mas
que porte, que pernas, que meias de seda mereceu!
Meu avô paterno negociava com tomates verdes,
não deu certo. Derrubou mato pra fazer carvão,
até o fim de sua vida, os poros pretos de cinza:
'Não me enterrem na Jaguara. Na Jaguara, não.'
Meu avô materno teve um pequeno armazém,
uma pedra no rim,
sentiu cólica e frio em demasia,
no cofre de pau guardava queijo e moedas.
Jamais pensaram em escrever um livro.
Todos extremamente pecadores, arrependidos
até a pública confissão de seus pecados
que um deles pronunciou como se fosse todos:
'Todo homem erra. Não adianta dizer eu
porque eu. Todo homem erra.
Quem não errou vai errar.'
Esta sentença não lapidar, porque eivada
dos soluços próprios da hora em que foi chorada,

permaneceu inédita, até que eu,
cuja mãe e avós morreram cedo,
de parto, sem discursar,
a transmitisse a meus futuros,
enormemente admirada
de uma dor tão alta,
de uma dor tão funda,
de uma dor tão bela,
entre tomates verdes e carvão,
bolor de queijo e cólica.

O GUARDA-CHUVA PRETO

Esquecido na mesa,
com o cabo voltado para cima
e as bordas arrepanhadas,
é como seu dono vestido,
composto no seu caixão.
Não desdobra a dobradiça,
não pousa no braço grave
do que, sendo seu patrão,
foi pra debaixo da terra.
Ele vai para o porão.
Existe um retrato antigo
em que posou aberto,
com o senhor moço e sem óculos.
Guarda-chuva, guarda-sol,
guarda-memória pungente
de tudo que foi em nós
um pouco ridículo e inocente.
Guarda-vida, arquivo preto,
cão de luto, cão jazente.

FLORES

A boa-noite floriu suas flores grandes,
parecendo saia branca.
Se eu tocasse um piano elas dançavam.
Fica tão bom o mundo assim com elas,
que nem me desprezo por querer um marido.
Perfumam à noite.
A gaita de um menino que nunca morreu
toca erradinho e doce.
Eu cumpro alegremente minhas obrigações paroquiais
e não canso de esperar;
mais hoje, mais amanhã, qualquer coisa esplêndida
                                        [acontece:
as cinco chagas, o disco voador, o poeta com seu cavalo
relinchando na minha porta.
Desejava tanto tomar bênção de pai e mãe,
juntar uns pios, umas nesgas de tarde,
um balançado de tudo que balança no vento
e tocar na flauta. É tão bom
que nem ligo que Deus não me conceda
ser bonita e jovem
– um dos desejos mais fundos da minha alma.
"O Espírito de Deus pairava sobre as águas..."
Sobre o meu, pairam estas flores
e sou mais forte que o tempo.

A CASA

É um chalé com alpendre,
forrado de hera.
Na sala,
tem uma gravura de Natal com neve.
Não tem lugar pra esta casa em ruas que se conhecem
Mas afirmo que tem janelas,
claridade de lâmpada atravessando o vidro,
um noivo que ronda a casa
– esta que parece sombria –
e uma noiva lá dentro que sou eu.
É uma casa de esquina, indestrutível.
Moro nela quando lembro,
quando quero acendo o fogo,
as torneiras jorram,
eu fico esperando o noivo, na minha casa aquecida
Não fica em bairro esta casa
infensa à demolição.
Fica num modo tristonho de certos entardeceres,
quando o que um corpo deseja é outro corpo pra escavar.
Uma ideia de exílio e túnel.

PRIMEIRA INFÂNCIA

Era rosa, era malva, era leite,
as amigas de minha mãe vaticinando:
vai ser muito feliz, vai ser famosa.
Eram rendas, pano branco, estrela dalva,
benza-te a cruz, no ouvido, na testa.
Sobre tua boca e teus olhos
o nome da Trindade te proteja.
Em ponto de marca no vestidinho: navios.
Todos a vela. A viagem que eu faria
em roda de mim.

DOIS VOCATIVOS

A maravilha dá de três cores:
branca, lilás e amarela,
seu outro nome é bonina.
Eu sou de três jeitos:
alegre, triste e mofina,
meu outro nome eu não sei.
Ó mistério profundo!
Ó amor!

SOLAR

Minha mãe cozinhava exatamente:
arroz, feijão-roxinho, molho de batatinhas.
Mas cantava.

ESPERANDO SARINHA

Sarah é uma linda menina ainda mal-acordada.
Suas pétalas mais sedosas estão ainda fechadas,
dormindo de bom dormir.
Quando Sarinha acordar,
vai pedir leite na xícara de porcelana pintada,
vai querer mel aos golinhos em colherinha de prata,
duas horas vai gastar fazendo trança e castelos.
Estou fazendo um vestido,
uma tarde linda e um chapéu,
pra passear com Sarinha,
quando Sarinha acordar.

ROÇA

No mesmo prato
o menino, o cachorro e o gato.
Come a infância do mundo.

TEMPO

A mim que desde a infância venho vindo
como se o meu destino
fosse o exato destino de uma estrela
apelam incríveis coisas:
pintar as unhas, descobrir a nuca,
piscar os olhos, beber.
Tomo o nome de Deus num vão.
Descobri que a seu tempo
vão me chorar e esquecer.
Vinte anos mais vinte é o que tenho,
mulher ocidental que se fosse homem
amaria chamar-se Eliud Jonathan.
Neste exato momento do dia vinte de julho
de mil novecentos e setenta e seis,
o céu é bruma, está frio, estou feia,
acabo de receber um beijo pelo correio.
Quarenta anos: não quero faca nem queijo.
Quero a fome.

RUIM

Me apanho composta:
as vísceras, o espírito,
meu ânima em dispneia.
Nem uma seta consigo pintar na estrada.
Ô tristeza, eu digo olhando meu livro.
Ô bobagem.
Ô merda,
polivalentemente, eu digo.
De que me adiantou pegar na mão do poeta
e mandar pra frente da batalha feminista
a mulher do meu amado,
se o que me sobra é um nó,
uma ruga nova,
a lembrança da gafe abominável?
Tudo para encruado.
Nem ao menos o rabo da poesia,
o fedor de vida
que às vezes deixa no ar
seu intestino grosso.
O Deus, eu digo enraivada,
esmurrando o ar com meu murrinho de fêmea.
Ó. Ai. Ai ai ai...
Se chovesse ou eu ficasse grávida,
quem sabe?

Na saída da cidade desconhecida
duas placas altas apontavam:
IBES.................ARIBIRI
Um preto no cruzamento
olhava atentamente para o fim dos tempos.
Eu olho meu olho fixo.
Como se não houvesse cantochão nem monges.

BULHA

Às vezes levanto de madrugada, com sede,
flocos de sonho pegados na minha roupa,
vou olhar os meninos nas suas camas.
O que nessas horas mais sei é: morre-se.
Incomoda-me não ter inventado este dizer lindíssimo:
'Ao amiudar dos galos.' Os meninos ressonam.
Com nitidez perfeita, os fragmentos:
as mãos do morto cruzadas, a pequena ferida no dorso.
A menina que durante o dia desejou um vestido
está dormindo esquecida e isto é triste demais,
porque ela falou comigo: 'Acho que fica melhor com
                                    [babado'
e riu meio sorriso, embaraçada por tamanha alegria.
Como é possível que a nós, mortais, se aumente o brilho
                                    [nos olhos
porque o vestido é azul e tem um laço?
Eu bebo a água e é uma água amarga
e acho o sexo frágil, mesmo o sexo do homem.

TULHA

Ontem de noite a tentação me tentou,
no centro da casa escura, no meio da noite escura.
A noite dura seu tempo, mas a barra do dia barra,
espanca a soberba das trevas.
O que trêmulo e choroso vagou nos cômodos quietos
encontra os pardais palrando,
mulheres com suas trouxas reverberando no sol.
Declaro que a vida é ótima, a realidade múltipla, os
                                 [nossos sentidos fracos.
Mais belo que o épico é o homem pacientemente
esperando a hora em que Deus for servido.
Enquanto isso, as andorinhas pousam nos fios, as gotas de
                                      [chuva caem,
Marly Guimarães, esposa de Mário Guimarães,
completa mais um aniversário e na oportunidade
recebe os cumprimentos dos parentes.
Vale a pena esperar, contra toda a esperança,
o cumprimento da Promessa que Deus fez a nossos pais
                                      [no deserto.
Até lá, o sol-com-chuva, o arco-íris, o esforço de amor,
o maná em pequeninas rodelas, tornam boa a vida.
A vida rui? A vida rola mas não cai. A vida é boa.

EH!

Têm cheiro especial
as bolas de carne cozinhando.
O cachorro olha pra gente
com um olho piedoso,
mas eu não dou.
Comida de cachorro é muxiba,
resto de prato.
Se lembro disto de noite
e estou sozinha no quarto
acho muito engraçado
e rio com estardalhaço:
a vida é mesmo uma pândega!
Dona Ló costurou pra dona Corina
que até hoje não pagou.
E bem que pode, já que exibe no lixo
papel higiênico Sublime,
que é do melhor e mais caro.
Mas os meninos se vingam:
có có có có có corina
có có có có có corina
sua roupa de baixo
tem catinga de urina.
O sol se põe intocado
atrás do morro onde ninguém nunca foi.

É brasa sua viva cor. Tem roxos,
uma angústia pendente
que sorvo em goles de antecipada saudade.
Quando a noite fechar,
dona Corina vai dormir com seu Lula,
homem sem fantasia,
que só faz as coisas de um jeito.
Dona Ló é viúva e dorme com Santa Bárbara,
"fulgente margarita que com melodia agradável
segues ao Esposo Cordeiro".
Se não estou compassiva, boto as mãos nas cadeiras
e grito para o Radar: É DEVERA!
Ele bota o rabo entre as pernas
e vai dormir na coberta.
Ai, Deus, minha virgindade se consome
entre precisar de feijão,
pó de café e açúcar.
Tem piedade de mim.

HORA DO ÂNGELUS

A poesia é pura compaixão.
Até grávida posso ficar,
se lhe aprouver um filho apelidado Francisco.
Tem mesmo alguma coisa no mundo
que obriga o mundo a esperar.
O carroceiro pragueja: ô deus,
a minha lida é mais dura
que a lida de um retireiro.
Sem paciência, a beleza turva-se,
esta que sobre as tardes se inclina
e faz defensáveis
areias, ervas, insetos,
este homem que jamais disse a palavra crepúsculo.

REGIONAL

O sino da minha terra
ainda bate às primeiras sextas-feiras,
por devoção ao coração de Jesus.
Em que outro lugar do mundo isto acontece?
Em que outro brasil se escrevem cartas assim:
o santo padre Pio XII deixou pra morrer logo hoje,
último dia das apurações.
Guardamos os foguetes.
Em respeito de sua santidade não soltamos.
Nós vamos indo do mesmo jeito,
não remamos, nem descemos da canoa.
Esta semana foi a festa de São Francisco,
fiz este canto imitado:
louvado sejas, meu Senhor,
pela flor da maria-preta,
por cujo odor e doçura
as formigas e abelhas endoidecem,
cuja forma humílima me atrai,
me instiga o pensamento
de que não preciso ser jovem nem bonita
para atrair os homens e o que neles
ferroa como nos zangões.
Meu estômago enjoa.
Há circunvoluções intestinas no país.

Queria que tudo estivesse bem.
Queria ficar noiva hoje
e ir sozinha com meu noivo
assistir a *Os cangaceiros* no cinema.
Queria que nossa fé fosse como está escrito:
AQUELE QUE CRÊ VIVERÁ PARA SEMPRE.
Isto é tão espantoso
que me retiro para meditar.
Espero que ao leres esta
estejas gozando saúde,
felicidade e paz junto aos teus.

CAMPO-SANTO

Na minha terra
a morte é minha comadre.
Subo a rua Goiás, atrás de coisas miúdas,
um chinelo, uma travessa, uma bilha nova,
e, à medida que subo, mais chego perto do campo
onde dormem sem sobressaltos
o pai, a mãe, a irmã, a menina que no segundo ano
se chamava Teresinha.
A grande tarefa é morrer.
Até lá rondo os muros
e em qualquer parte da cidade oriento-me
pela mão estendida do Cristo de mármore preto
do túmulo do coronel.
No cemitério é bom de passear.
A vida perde a estridência,
o mau gosto ampara-nos das dilacerações.
A gradinha de ferro defende o exíguo espaço,
onde mais exíguos os ossos se confinam,
ossos que andaram, apontaram e voltaram a cabeça
e sustentaram a língua e os olhos e fizeram o arcabouço
para a voz sob o sol: 'santo remédio, erva-de-bicho,
dá na beira do rio'. O mistério não me fulmina
porque a inscrição tem erros e no túmulo de
                              [Maria Antônia

– que morreu por mão do marido –
os pedidos maiores são de emprego.
Enegrecidas de chuva e velas,
adornadas de flores sobre as quais
sem preconceito as abelhas porfiam,
a vida e a morte são uma coisa só.
Se um galo cantar e for domingo,
será tanta a doçura que direi:
vem cá, meu bem, me dá sua mão,
vamos dar um passeio,
vamos passar na casa de tia Zica
pra ver se Tiantônio melhorou.
Ressurgiremos. Por isso
o campo-santo é estrelado de cruzes.

BAIRRO

O rapaz acabou de almoçar
e palita os dentes na coberta.
O passarinho recisca e joga no cabelo do moço
excremento e casca de alpiste.
Eu acho feio palitar os dentes,
o rapaz só tem escola primária
e fala errado que arranha.
Mas tem um quadril de homem tão sedutor
que eu fico amando ele perdidamente.
Rapaz desses
gosta muito de comer ligeiro:
bife com arroz, rodela de tomate
e ir no cinema
com aquela cara de invencível fraqueza
para os pecados capitais.
Me põe tão íntima, simples,
tão à flor da pele o amor,
o samba-canção,
o fato de que vamos morrer
e como é bom a geladeira,
o crucifixo que mamãe lhe deu,
o cordão de ouro sobre o frágil peito
que.
Ele esgravata os dentes com o palito,
esgravata é meu coração de cadela.

GÊNERO

Desde um tempo antigo até hoje,
quando um homem segura minha mão,
saltam duas lembranças guarnecendo
a secreta alegria do meu sangue:
a bacia da mulher é mais larga que a do homem,
em função da maternidade.
O Osvaldo Bonitão está pulando o muro de dona Gleides.
A primeira, eu tirei de um livro de anatomia,
a segunda, de um cochicho de Maria Vilma.
Oh! por tão pouco incendiava-me?
Eu sou feita de palha,
mulher que os gregos desprezariam?
Eu sou de barro e oca.
Eu sou barroca.

CORRIDINHO

O amor quer abraçar e não pode.
A multidão em volta,
com seus olhos cediços,
põe caco de vidro no muro
para o amor desistir.
O amor usa o correio,
o correio trapaceia,
a carta não chega,
o amor fica sem saber se é ou não é.
O amor pega o cavalo,
desembarca do trem,
chega na porta cansado
de tanto caminhar a pé.
Fala a palavra açucena,
pede água, bebe café,
dorme na sua presença,
chupa bala de hortelã.
Tudo manha, truque, engenho:
é descuidar, o amor te pega,
te come, te molha todo.
Mas água o amor não é.

CONTRA O MURO

Pulou no rio a menina
cuja mãe não disse: minha filha.
Me consola, moço.
Fala uma frase, feita com meu nome,
para que ardam os crisântemos
e eu tenha um feliz natal!
Me ama. Os homens de nucas magras
furam os toucinhos com o dedo,
levantam as mantas de carne
e pedem um quilo de sebo.
Toca minha mão.
Quem fez o amor não vazará meus olhos
porque busco a alegria.
A vida não vale nada,
por isso gastei meus bens,
fiz um grande banquete e este vestido.
Olha-me para que ardam os crisântemos
e morra a puta
que pariu minha tristeza.

DOLORES

Hoje me deu tristeza,
sofri três tipos de medo
acrescidos do fato irreversível:
não sou mais jovem.
Discuti política, feminismo,
a pertinência da reforma penal,
mas ao fim dos assuntos
tirava do bolso meu caquinho de espelho
e enchia os olhos de lágrimas:
não sou mais jovem.
As ciências não me deram socorro,
nem tenho por definitivo consolo
o respeito dos moços.
Fui no Livro Sagrado
buscar perdão pra minha carne soberba
e lá estava escrito:
"Foi pela fé que também Sara, apesar da idade avançada,
se tornou capaz de ter uma descendência..."
Se alguém me fixasse, insisti ainda,
num quadro, numa poesia...
e fossem objeto de beleza os meus músculos frouxos...
Mas não quero. Exijo a sorte comum das mulheres nos
[tanques,
das que jamais verão seu nome impresso e no entanto

sustentam os pilares do mundo, porque mesmo viúvas
[dignas
não recusam casamento, antes acham o sexo agradável,
condição para a normal alegria de amarrar uma tira no
[cabelo
e varrer a casa de manhã.
Uma tal esperança imploro a Deus.

CÓDIGOS

O perfume das bananas é escolar e pacífico.
Quando a mãe disse: filha, vovô morreu, pode falhar de
[aula,
eu achei morrer muito violoncelírico.
Abriam-se as pastas no começo da aula,
os lápis de ponta fresca recendiam.
O rapaz de espinhas me convocava aos abismos,
nem comia as goiabas,
desnorteada de palpitações.
Filho da puta se falava na minha casa,
desgraçado nunca, porque graça é de Deus.
No teatro ou no enterro,
o sexofone me põe atrás do moço,
porque as valsas convergem, os lençóis estendidos,
abril, anil, lavadeira no rio,
os domingos convergem.
O entre-parênteses estaca pra convergir com mais força:
no curso primário estudei entusiasmada o esqueleto
[humano da galinha.
Quero estar cheia de dor mas não quero a tristeza.
Por algum motivo fui parida incólume,
entre escorpiões e chuva.

FLUÊNCIA

Eu fiz um livro, mas oh, meu Deus,
não perdi a poesia.
Hoje depois da festa,
quando me levantei para fazer café,
uma densa neblina acinzentava os pastos,
as casas, as pessoas com embrulho de pão.
O fio indesmanchável da vida tecia seu curso.
Persistindo, a necessidade dos relógios,
dos descongestionantes nasais.
Meu livro sobre a mesa contraponteava exato
com os pardais, os urinóis pela metade,
o antigo e intenso desejar de um verso.
O relógio bateu sem assustar os farelos sobre a mesa.
Como antes, graças a Deus.

INSTÂNCIA

Eu cometi pecados,
por palavras, por atos, omissões.
Deles confesso a Deus,
à Virgem Maria, aos santos,
a São Miguel Arcanjo
e a vós irmãos.
A tão criticável tristeza
e seu divisível ser
pelejam por abotoar em mim
seu colar de desespero.
Mas eu peço perdão:
a Deus e a vós, irmãos.
O meu peito está nu como quando nasci;
em panos de alegria me enrolou minha mãe,
beijou minha carne estragável,
em minha boca mentirosa espremeu seu leite,
por isso sobrevivi.
Agora vós, irmãos, perdoai-me,
por minha mãe que se foi.
Por Deus que não vejo, perdoai-me.

UM BOM MOTIVO

O Presidente morre.
Choro querendo o meu choro o mais definitivo de todos
e esta mesma vaidade choro.
Poetas antes de mim choraram e melhor e mais belo
e mais profundamente, não apenas a morte do rei,
mas a minha, a tua, a própria morte deles,
a condição miserável de ser homem. No entanto,
as razões de chorar não se acabaram.
O meu poder é pouco, governo sobre algumas lembranças:
um prato, uma toalha de mesa, um domingo,
cascas de laranja fresca recendendo.
O Bem e o Mal me escapam, mesmo e porque me
                                    [habitam.
Me escapam o dia, a hora, as horas,
escrevo o poema e iludo-me de que escapei à tristeza.
Só a tornei ritmada, talvez mais leve.
Por torná-la bela, suportável, me empenho
e por tal razão sem razão mais choro.
O Presidente morre: é tristíssimo.
'Carneiro primaveril com favas':
quem a esta hora se anima aos livros de culinária?
O sexo automovente pende, para baixo pesa, murchado.
Lua é planeta, violão é madeira e cordas.
Aproveito que o Presidente morre

e choro as cáries nos dentes, as pernas varicosas,
a saia feia atravessando a rua, o cotovelo humilhado,
a cabeça cheia de *bobbies*, coroada.
Choro porque vou me refazer e dar risadas
e perguntar incorrigivelmente pelas fases da lua
e semear flores e plantar hortaliças.
Choro porque reincido no prazer como os meninos
e isto, depois de velha, mortifica-me.
Choro por me ter humilhada em razão da alegria,
o coração orgulhoso, sem simplicidade.
O Presidente morre: é um bom motivo.
Aproveito e choro o povo brasileiro,
o Cruzeiro do Sul, que, só agora percebo,
poderia não nos pertencer.
A Terra de Vera Cruz, a Terra de Santa Cruz,
a carta de Caminha, admiravelmente precedendo-nos:
"É um país que vai pra frente, Senhor meu Rei."
A Terra das Palmeiras a cuja sombra soluço, incongruente.
Por nascimento e gosto, por destino, agora por dura

[escolha

desejo o sabiá, o Presidente vivo, o peixe vivo,
meu pai vivo gritando viva arroucado de tão alto:
VIVA! VIVA! VIVA!
É difícil morrer com vida,
é difícil entender a vida,
não amar a vida, impossível.
Infinita vida que para continuar desaparece
e toma outra forma e rebrota,

árvore podada se abrindo,
a raiz mergulhada em Deus. Ó Deus,
o globo do meu olho dói, apertado de choro,
a minha alma está triste, desejo largar o emprego,
que os de minha casa, hoje, comam frio.
Não me banho, não me penteio, não recebo ninguém,
uma pequena vingança contra a dor de viver.
O que é entristecível continuará,
o que é risível, deleitoso, também.
Continuará a vida, repetitiva.
Novíssima continuará a vida.
Só vida. Nua. Vida.
Quem foi vivo uma vez disse a palavra Cruz,
disse a palavra Pai, inclinando a cabeça,
uma vez disse, do fundo do seu cansaço:
'Ó meu Deus' e desejou dar seu reino
pela simples morada da alegria.
Ó Senhor, consola-nos, tem piedade de nós.
"A vitória provém de Tua Mão,
de Teu Braço divino."

Terra de Santa Cruz

...Os tristes e alegres sofrimentos da gente...

João Guimarães Rosa

Os poemas reunidos em *Terra de Santa Cruz* foram reproduzidos da edição publicada pela Editora Record (*Terra de Santa Cruz*, Rio de Janeiro, 2006). (*N. do E.*)

CACOS PARA UM VITRAL

Existe mesmo o Japão?
E um país que não conheço, com seu litoral deserto?
Entre as coxas é público. Público e óbvio.
Quero é teu coração, o fundo dos teus dois olhos
que só faltam falar.
Mira-me *en español* pra ver se não estalo os dedos
e saio dançando em vermelho.
Fechei os olhos no sol, vi a forma-prima
por um segundo só e esqueci.
Como existiram os santos, Deus existe
e com um poder de sedução indizível.
Quem fez o ouro foi Ele, quem deu tino ao homem
pra inventar o cordão que se põe no pescoço.
Dito assim é tão puro, quase não vejo culpa
em comprar um pra mim.
Tenho os mesmos desejos de trinta anos atrás,
imutáveis como os mosquitos na cozinha ensolarada,
minha mãe fazendo café
e meu pai sentado, esperando.

A FACE DE DEUS É VESPAS

Queremos ser felizes.
Felizes como os flagelados da cheia,
que perderam tudo
e dizem-se uns aos outros nos alojamentos:
'Graças a Deus, podia ser pior!'
Ó Deus, podemos gemer sem culpa?
Desde toda a vida a tristeza me acena,
o pecado contra Vosso Espírito
que é espírito de alegria e coragem.
Acho bela a vida e choro
porque a vida é triste,
incruenta paixão servida de seringas,
comprimidos minúsculos e dietas.
Eu não sei quem sou.
Sem me sentir banida experimento degredo.
Mas não recuso os marimbondos armando suas caixas
porque são alegres como posso ser,
são dádivas,
mistérios cuja resposta agora é só uma luz,
a pacífica luz das coisas instintivas.

AMOR

A formosura do teu rosto obriga-me
e não ouso em tua presença
ou à tua simples lembrança
recusar-me ao esmero de permanecer contemplável.
Quisera olhar fixamente a tua cara,
como fazem comigo soldados e choferes de ônibus.
Mas não tenho coragem,
olho só tua mão,
a unha polida olho, olho, olho e é quanto basta
pra alimentar fogo, mel e veneno deste amor incansável
que tudo rói e banha e torna apetecível:
caieiras, desembocaduras de esgotos,
ideia de morte, gripe, vestido, sapatos,
aquela tarde de sábado,
esta que morre agora antes da mesa pacífica:
ovos cozidos, tomates,
fome dos ângulos duros de tua cara de estátua.
Recolho tamancos, flauta, molho de flores, resinas,
rispidez de teu lábio que suporto com dor
e mais retábulos, faca, tudo serve e é estilete,
lâmina encostada em teu peito. Fala.
Fala sem orgulho ou medo
que à força de pensar em mim sonhou comigo
e passou um dia esquisito,

o coração em sobressaltos à campainha da porta,
disposto à benignidade, ao ridículo, à doçura. Fala.
Nem é preciso que amor seja a palavra.
'Penso em você' – me diz e estancarei os féretros,
tão grande é minha paixão.

O AMOR NO ÉTER

Há dentro de mim uma paisagem
entre meio-dia e duas horas da tarde.
Aves pernaltas, os bicos mergulhados na água,
entram e não neste lugar de memória,
uma lagoa rasa com caniços na margem.
Habito nele, quando os desejos do corpo,
a metafísica, exclamam:
como és bonito!
Quero escavar-te até encontrar
onde segregas tanto sentimento.
Pensas em mim, teu meio-riso secreto
atravessa mar e montanha,
me sobressalta em arrepios,
o amor sobre o natural.
O corpo é leve como a alma,
os minerais voam como borboletas.
Tudo deste lugar
entre meio-dia e duas horas da tarde.

CASAMENTO

Há mulheres que dizem:
Meu marido, se quiser pescar, pesque,
mas que limpe os peixes.
Eu não. A qualquer hora da noite me levanto,
ajudo a escamar, abrir, retalhar e salgar.
É tão bom, só a gente sozinhos na cozinha,
de vez em quando os cotovelos se esbarram
ele fala coisas como 'este foi difícil',
'prateou no ar dando rabanadas'
e faz o gesto com a mão.
O silêncio de quando nos vimos a primeira vez
atravessa a cozinha como um rio profundo.
Por fim, os peixes na travessa,
vamos dormir.
Coisas prateadas espocam:
somos noivo e noiva.

A MENINA E A FRUTA

Um dia, apanhando goiabas com a menina,
ela abaixou o galho e disse pro ar
– inconsciente de que me ensinava –
'goiaba é uma fruta abençoada'.
Seu movimento e rosto iluminados
agitaram no ar poeira e Espírito:
o Reino é dentro de nós,
Deus nos habita.
Não ha como escapar à fome da alegria!

LEMBRANÇA DE MAIO

Meu coração bate desamparado
onde minhas pernas se juntam.
É tão bom existir!
Seivas, vergônteas, virgens,
tépidos músculos
que sob as roupas rebelam-se.
No topo do altar ornado
com flores de papel e cetim
aspiro, vertigem de altura e gozo,
a poeira nas rosas, o afrodisíaco,
incensado ar de velas.
Santa sobre os abismos,
à voz do padre abrasada
eu nada objeto,
lírica e poderosa.

A FILHA DA ANTIGA LEI

Deus não me dá sossego. É meu aguilhão.
Morde meu calcanhar como serpente,
faz-se verbo, carne, caco de vidro,
pedra contra a qual sangra minha cabeça.
Eu não tenho descanso neste amor.
Eu não posso dormir sob a luz do seu olho que me fixa.
Quero de novo o ventre de minha mãe,
sua mão espalmada contra o umbigo estufado,
me escondendo de Deus.

O ANTICRISTO RONDA MEU CORAÇÃO

Por que a mãe de Stella tem os nervos em pânico?
Por que não consigo cultivar folhagens?
Por que tão arduamente vivo
se meu desejo único é ser feliz?
O alarido dos que enchem a praça exibindo feridas
rói o bordado do meu casamento,
tarefa que executei como meus pais e meus avós
                              [longínquos.
Que vasta infelicidade no planeta!
Tão vasta que cortei os cabelos,
eu que os desejo longos, mesmo brancos.
E os pobres? Onde estão os pobres, os diletos de Deus?
A antilírica quer me matar, me comer, me cagar,
nesta tarde de pó e desgosto.

FESTA DO CORPO DE DEUS

Como um tumor maduro
a poesia pulsa dolorosa,
anunciando a paixão:
"*Ó crux ave, spes unica*
Ó passiones tempore".
Jesus tem um par de nádegas!
Mais que Javé na montanha
esta revelação me prostra.
Ó mistério, mistério,
suspenso no madeiro
o corpo humano de Deus.
É próprio do sexo o ar
que nos faunos velhos surpreendo,
em crianças supostamente pervertidas
e a que chamam dissoluto.
Nisto consiste o crime,
em fotografar uma mulher gozando
e dizer: eis a face do pecado.
Por séculos e séculos
os demônios porfiaram
em nos cegar com este embuste.
E teu corpo na cruz, suspenso.
E teu corpo na cruz, sem panos:
       olha para mim.

Eu te adoro, ó salvador meu
que apaixonadamente me revelas
a inocência da carne.
Expondo-te como um fruto
nesta árvore de execração
o que dizes é amor,
amor do corpo, amor.

A PORTA ESTREITA

Deus, tem compaixão desta cidade
e de mim que andei em suas ruas
secretamente dizendo-me:
sou o poeta deste povo.
Que cansaço é viver!
Um mosquito cantor rodeia minha cabeça:
decide-te à santidade.
Me desgostam turistas.
Só existe um lugar, a picada do sofrimento,
e ela é perfeita.
Não me doo mais por quem nunca viu o mar.
Minha mãe perdoou meu pai,
meu pai perdoou a mim:
estes oceanos, sim.

O pelicano

Foi bom pra mim ser afligido.

Do Salmo 118

Os poemas reunidos em *O pelicano* foram reproduzidos da edição publicada pela Editora Record (*O pelicano*, Rio de Janeiro, 2007). (*N. do E.*)

FIBRILAÇÕES

Tanto faz
funeral ou festim,
tudo é desejo
o que percute em mim.
Ó coração incansável à ressonância das coisas,
amo, te amo, te amo,
assim triste, ó mundo,
ó homem tão belo que me paralisa.
Te amo, te amo.
E uma língua só,
um só ouvido, não absoluto.
Te amo.
Certa erva do campo tem as folhas ásperas
recobertas de pelos,
te amo, digo desesperada
de que outra palavra venha em meu socorro.
A relva estremece,
o amor para ela é aragem.

LIRIAL

Lírios, lírios,
a vida só tem mistérios.
Destruo os lírios,
eles me põem confusa.
Os finados se cobrem deles,
os canteiros do céu,
onde as virgens passeiam.
Como cabeças de alho,
os bulbos ficam na terra
esperando novembro para que eu padeça.
Como pessoas, esta flor espessa;
branca, d'água, roxo-lírio,
lírio amarelo – um antilírio –,
lírio de nada, espírito de flor,
hausto floral do mundo,
pensamento de Deus inconcluído
nesta tarde de outubro em que pergunto:
para que servem os lírios,
além de me atormentarem?
Um lírio negro é impossível.
Inocente e voraz o lírio não existe
e esta fala é delírio.

AS SEIS BADALADAS DO ENTARDECER

Cantores populares no Brasil
fizeram fama e fortuna
cantando-lhe o doce encanto.
Pinhos plangeram,
mágoas rolaram, dolentes,
flores após langores
e até lívidas papoulas
estremeceram de frio nestes versos:
'Como lívidas papoulas
são teus olhos lantejoulas.'
Envém a noite com seu negro manto,
restos de luz no poente,
também chamado ocaso
e mais lindamente crepúsculo,
na voz do cantor do rádio.
Papai já jantou faz tempo,
mamãe já morreu faz tempo,
faz tempo que estou aqui
fingindo fazer chalaça.
Papai olha o relógio:
'6 horas já. Quem não fez não faz mais.'
Vermelhidões de incêndio,
os rostos meio pálidos fulguravam.

MORTE MORREU

Quando o ano acinzenta-se em agosto
e chove sobre árvores
que mesmo antes das chuvas já reverdeceram,
da mesma estação levantam-se
nossos mortos queridos
e os passarinhos que ainda vão nascer.
"Ó morte, onde está tua vitória?"
Eh tempo bom, diz meu pai.
A mãe acalma-se,
tomam-se as providências sensatas.
Todos pra janela, espiar as goteiras:
"Chuva choveu, goteira pingou
Pergunta o papudo se o papo molhou".
Pergunta a menina se a vida acabou.

A ESFINGE

Ofélia tem os cabelos tão pretos
como quando casou.
Teve nove filhos, sendo que
tirante um que é homossexual
e outro que mexe com drogas,
os outros vão levando no normal.
Só mudou o penteado e botou dentes.
Não perdeu a cintura, nem
aquele ar de ainda serei feliz,
inocente e malvada
na mesma medida que eu,
que insisto em entender
a vida de Ofélia e a minha.
Ainda hoje passou de calça comprida
a caminho da cidade.
Os manacás cheiravam
como se o mundo não fosse o que é.
Ora, direis. Ora digo eu. Ora, ora.
Não quero contar histórias,
porque história é excremento do tempo.
Queria dizer-lhes é que somos eternos,
eu, Ofélia e os manacás.

RESPONSÓRIO

Santo Antônio,
procurai para mim a carteira perdida,
vós que estais desafadigado,
gozando junto de Deus a recompensa dos justos.
Estão nela a paga do meu trabalho por um mês,
documentos e um retrato
onde apareço cansada, com uma cara
que ninguém olhará mais de uma vez
a não ser vós, que já em vida
vos apiedáveis dos tormentos humanos:
sumiu a agulha da bordadeira,
sumiu o namorado,
o navio no alto-mar,
sumiu o dinheiro no ar.
Tenho que comprar coisas, pagar contas,
dívidas de existir neste planeta convulso.
Prometo-vos uma vela de cera,
um terço do meu salário
e outro que rezarei
pra entoar vossos louvores, ó Martelo dos Hereges,
cuja língua restou fresca
entre vossos ossos, intacta.
Servo do Senhor, procurai para mim a carteira perdida
e, se tal não aprouver a Deus para a salvação da minha
                                                              [alma,

procurai antes me ensinar
a viver como vós,
como um pobre de Deus.
Amém!

DUAS HORAS DA TARDE NO BRASIL

Tanto quanto a vida amo este calor,
esta claridade metafísica,
este pequeno milagre:
no ar tórrido os alecrins de seda não se crestam,
espalmam como os jovens hebreus cantando na fornalha.
Quem sofre é meu coração,
às duas horas da tarde quer rezar.
Quem me chama é Deus?
É Seu olho centrífugo o que me puxa?
A vida tão curta e ainda não tenho estilo,
palavras como astrolábio desviam-me de meus deveres,
a forma de um nariz por semanas ocupa-me,
seu jeito triste de fechar a boca.
A quem amo enfim?
Acaso fui seduzida pelo Filho do Homem
e confundo você, mesquinho,
e confundo você, vaidoso,
com o que me quer com ele
gemendo na sua cama de cruz?
O europeu diz-se aturdido com o desperdício do sol.
Obrigada, respondo, com vergonha de carnaval,
de batuques, de meus quadris excessivos.
Jesus é búlgaro? Afegão? Holandês da colônia?
Brasileiro não é. Estranhíssimo, sim,

com seu corpo desnudo e perfurado,
mendigando carinho, igual ao meu.
Minha pátria, como as outras, tem folclore,
cantigas cheias de melancolia.
Como posso aceitar que morreremos?
E a alma do povo, a quem aproveitaria?
Frigoríficos são horríveis
mas devo poetizá-los
para que nada escape à redenção:
Frigorífico do Jiboia
Carne fresca
Preço joia.
De novo quero rezar pra não ficar estrangeira
meu Deus, meu Deus, por que me abandonastes?
Dizei-me quem sois Vós e quem sou eu,
dizei-me quem sois Vós e quem sou eu.

A BATALHA

Perdi o medo de mim. Adeus.
Vou às paisagens do frio atrás de Jonathan.
Deve ser assim que se vive,
na embriaguez deste voo
no rumo certo da morte.
Amo Jonathan.
Eis aí o monocórdico, diarreico assunto.
'Ele quer te ver', alguém disse no sonho.
E desencadearam-se as formas onde Deus se homizia.
Pode-se adorar tufos de grama, areia,
não se descobre donde vêm os oboés.
Jonathan quer me ver.
Pois que veja.
O diabo uiva algemado nas profundezas do inferno,
enquanto eu
tiro o corpo da roupa.

CADERNO DE DESENHO

Quem verazmente se importa
de que esteja tão abatida com as respostas do oráculo?
Ele me ama? perguntei.
Por quatro vezes respondeu silêncio, conflito,
infortúnio e outra vez silêncio.
Terá Vosso amor, ó Deus, tanta beleza,
Vós que não tendes mãos, nem pés,
nem aquele nariz perfeito
por quem ardo até a última estrela?
Se Jonathan me amasse...
Mas quem me ama é João
e amo Jonathan desde os 12 anos,
desde a única boa lembrança de irmã Guida
que ensinava desenho,
as formas escapando de conselhos, doutrinas,
mais antigas que o pai, a mãe,
mais antigas que o avô,
reclamando de mim uma providência,
para que perdurassem, ficassem ali comigo no caderno.
Eu desenhava mal entusiasmadamente,
furando o papel com o lápis,
querendo expulsar de mim, hoje sei
– e queria mais não saber –,
aquela beleza mortal.

Eu lutava com o Anjo,
com o Mensageiro que nunca mais me deixou.
Que nome tem o que não morre?
O nome de Deus é qualquer,
pois, quando nada responde,
ainda assim uma alegria poreja.

PRANTO PARA COMOVER JONATHAN

Os diamantes são indestrutíveis?
Mais é meu amor.
O mar é imenso?
Meu amor é maior,
mais belo sem ornamentos
do que um campo de flores.
Mais triste do que a morte,
mais desesperançado
do que a onda batendo no rochedo,
mais tenaz que o rochedo.
Ama e nem sabe mais o que ama.

ADORAÇÃO NOTURNA

É como um olhar
como um olhar imóvel.
Beijam-me quando assim me tomas,
admirados
de que não repila a comiseração:
'Não é a que tem desejos e sandálias?'
Vossos pés me ocupam, vossos dedos
cuja perfeição esgota a eternidade.
Quem mais adora quando me arrebatas?
Meus sapatos são os vossos,
de ouro,
iguais são nossos joelhos,
as rótulas sobre as quais
– eu, ou vós? – descansamos as mãos.
Necessária como Deus,
coberta de meus pecados resplandeço.

A faca no peito

Coração da gente – o escuro, escuros.

João Guimarães Rosa em
Grande sertão: veredas

Os poemas reunidos em *A faca no peito* foram reproduzidos da edição publicada pela Editora Record (*A faca no peito*, Rio de Janeiro, 2007). (*N. do E.*)

EM PORTUGUÊS

Aranha, cortiça, pérola
e mais quatro que não falo
são palavras perfeitas.
Morrer é inexcedível.
Deus não tem peso algum.
Borboleta é *atelobrob*,
um sabão no tacho fervendo.
Tomara estas estranhezas
sejam psicologismos,
corruptelas devidas
ao pecado original.
Palavras, quero-as antes como coisas.
Minha cabeça se cansa
           neste discurso infeliz.
Jonathan me falou:
      'Já tomou seu iogurte?'
Que doçura cobriu-me, que conforto!
As línguas são imperfeitas
         pra que os poemas existam
e eu pergunte donde vêm
       os insetos alados e este afeto,
       seu braço roçando o meu.

ARTEFATO NIPÔNICO

A borboleta pousada
ou é Deus
ou é nada.

PARÂMETRO

Deus é mais belo que eu.
E não é jovem.
Isto, sim, é consolo.

COMO UM BICHO

O ritmo do meu peito é amedrontado,
Deus me pega, me mata, vai me comer
                        o deus colérico.
Tan-tan, tan-tan,
um tambor antiquíssimo na selva
            cada vez mais perigoso
            porque o dia deserta,
                    tan-tan, tan-tan,
as estrelas são altas e os répteis astuciosos.
            Tan-tan, meu pai, tan-tan,
                    ó minha mãe,
ponta de faca, dentes,
                  água,
água, não. Um pastor com sua flauta no rochedo,
o que nada pode erodir.
Assim meus pés descansam
e minha alma pode dormir.
            Tan-tan, tan-tan,
            cada vez mais fraco.
            Não é meu coração,
                é só um tambor.

MATÉRIA

Jonathan chegou.
E o meu amor por ele é tão demente
que me esqueci de Deus,
eu que diuturnamente rezo.
Mas não quero que Jonathan se demore.
Há o perigo de eu falar
                    na presença de todos
uma coisa alucinada.
O que quer acontecer pede um metro imprudente,
                         clamando por realidade.
Centopeias passeiam no meu corpo.
        Ele me chama Agnes
        e fala coisas irreproduzíveis:
'entendo que uma jarra pequena
               com três rosas de plástico
          possam inundar você de vida e morte'.
         Você existe, Jonathan?

FORMAS

De um único modo se pode dizer a alguém:
                 'não esqueço você'.
A corda do violoncelo fica vibrando sozinha
                 sob um arco invisível
e os pecados desaparecem como ratos flagrados.
     Meu coração causa pasmo porque bate
     e tem sangue nele e vai parar um dia
     e vira um tambor patético
                 se falas no meu ouvido:
                         'não esqueço você'.
Manchas de luz na parede,
             uma jarra pequena
                     com três rosas de plástico.
Tudo no mundo é perfeito
         e a morte é amor.

POEMA COMEÇADO DO FIM

Um corpo quer outro corpo.
Uma alma quer outra alma e seu corpo.
Este excesso de realidade me confunde.
Jonathan falando:
              parece que estou num filme.
Se eu lhe dissesse você é estúpido
ele diria sou mesmo.
Se ele dissesse vamos comigo ao inferno passear
                        eu iria.
As casas baixas, as pessoas pobres
                e o sol da tarde,
imaginai o que era o sol da tarde
                    sobre nossa fragilidade.
Vinha com Jonathan
pela rua mais torta da cidade.
              O Caminho do Céu.

A SEDUZIDA

Por causa de Jonathan
       minha idade regride.
Por certo morrerei
se insistir em só amar,
       sem comer nem dormir.
Amor e morte são casados
e moram no abismo trevoso.
Seus filhos,
o que se chama Felicitas
tem o apelido de Fel.
O centro da luz é escuro
       do negrume de Deus,
é sombra espessa de dia,
de noite tudo reluz.
Comigo os séculos porfiam
na encarnação de Jesus.

BILHETE DA OUSADA DONZELA

Jonathan,
há nazistas desconfiados.
Põe aquela sua camisa que eu detesto
– comprada no Bazar Marrocos –
e venha como se fosse pra consertar meu chuveiro.
Aproveita na terça que meu pai vai com minha mãe
visitar tia Quita no Lajeado.
Se mudarem de ideia, mando novo bilhete.
Venha sem guarda-chuva – mesmo se estiver chovendo.
Não aguento mais tio Emílio que sabe e finge não saber
que te namoro escondido e vive te pondo apelidos.
O que você disse outro dia na festa dos pecuaristas
até hoje soa igual música tocando no meu ouvido:
'não paro de pensar em você'.
Eu também, Natinho, nem um minuto.
Na terça, às duas da tarde,
hora em que se o mundo acabar
                    eu nem vejo.

                    Com aflição,
                            Antônia.

O APRENDIZ DE ERMITÃO

É muito difícil jejuar.
Com a boca decifro o mundo, proferindo palavras,
beijando os lábios de Jonathan que me chama Primora,
nome de amor inventado.
Flauta com a boca se toca,
do sopro de Deus a alma nasce,
dor tão bonita que eu peço:
dói mais, um pouquinho só.
Não me peça de volta o que me destes, Deus.
Meu corpo de novo é inocente,
como a pastos sem cerca amo Jonathan,
        mesmo que me esqueça.
Ó mundo bonito!
Eu quero conhecer quem fez o mundo
                    tão consertadamente descuidoso.
Os papagaios falam, Jonathan respira
e tira do seu alento este som: Primora.
"Tomai e comei."
Vosso Reino é comida?
Eu sei? Não sei.
Mas tudo é corpo, até Vós,
        mensurável matéria.
O espírito busca palavras,
quem não enxerga ouve sons,

quem é surdo vê luzes,
o peito dispara a pique de arrebentar.
Salve, mistérios! Salve, mundo!
Corpo de Deus, boca minha,
espanto de escrever arriscando minha vida:
eu te amo, Jonathan,
acreditando que você é Deus e
me salvará a palavra dita por sua boca.
Me saúda assim como à *Aurora Consurgens*:
        Vem, Primora.
Falas como um homem,
mas o que escuto é o estrondo
que vem do Setentrião.
Me dá coragem, Deus, para eu nascer.

Oráculos de maio

Quero vocativos para chamar-te, ó maio.

Os poemas reunidos em *Oráculos de maio* foram reproduzidos da edição publicada pela Editora Record (*Oráculos de maio*, Rio de Janeiro, 2006). (*N. do E.*)

O TESOURO ESCONDIDO

Tanto mais perto quanto mais remoto,
o tempo burla as ciências.
Quantos milhões de anos tem o fóssil?
A mesma idade do meu sofrimento.
O amor se ri de vanglórias,
de homens insones nas calculadoras.
O inimigo invisível se atavia
pra que eu não diga o que me faz eterna:
te amo, ó mundo, desde quando
irrebelados os querubins assistiam.
De pensamentos aos quais nada se segue,
a salvação vem de dizer: adoro-Vos,
com os joelhos em terra, adoro-Vos,
ó grão de mostarda aurífera,
coração diminuto na entranha dos minerais.
Em lama, excremento e secreção suspeitosa,
adoro-Vos, amo-Vos sobre todas as coisas.

MURAL

Recolhe do ninho os ovos
a mulher
nem jovem nem velha,
em estado de perfeito uso.
Não vem do sol indeciso
a claridade expandindo-se,
é dela que nasce a luz
de natureza velada,
é seu próprio gosto
em ter uma família,
amar a aprazível rotina.
Ela não sabe que sabe,
a rotina perfeita é Deus:
as galinhas porão seus ovos,
ela porá sua saia,
a árvore a seu tempo
dará suas flores rosadas.
A mulher não sabe que reza:
que nada mude, Senhor.

JUSTIÇA

Nos tinha à roda
ao peito
aos cachorros
diferente da moradora de posses
que ia à missa de carro
e a quem os meninos
não puxavam a saia.
Mas muito mais bonita
era nossa mãe.

MATER DOLOROSA

Este puxa-puxa
tá com gosto de coco.
A senhora pôs coco, mãe?
– Que coco nada.
– Teve festa quando a senhora casou?
– Teve. Demais.
– O quê que teve então?
– Nada não, menina, casou e pronto.
– Só isso?
– Só e chega.
Uma vez fizemos piquenique,
ela fez bolas de carne
pra gente comer com pão.
Lembro a volta do rio
e nós na areia.
Era domingo,
ela estava sem fadiga
e me respondia com doçura.
Se for só isso o céu,
está perfeito.

VASO NOTURNO

À meia-noite, José dos Reis
– que namoro escondido –
vem fazer serenata para mim.
Papai tosse alto,
tropeça por querer nos urinóis.
Que vergonha, meu deus,
pai, cachorrinha plebeia,
couves na horta
geladas de orvalho e medo.
Me finjo de santa morta,
meu céu é gótico
e arde.

O INTENSO BRILHO

É impossível no mundo
estarmos juntos
ainda que do meu lado
adormecesses.
O véu que protege a vida
nos separa.
O véu que protege a vida
nos protege.
Aproveita, pois,
que é tudo branco agora,
à boca do precipício,
neste vórtice
e fala
nesta clareira aberta pela insônia,
quero ouvir tua alma,
a que mora na garganta
como em túmulos
esperando a hora da ressurreição,
fala meu nome,
antes que eu retorne
ao dia pleno,
à semiescuridão.

INVITATÓRIO

De onde estou vejo através da chuva
a torre do Bom Jesus,
alguma árvore, casas,
a desolação me toma.
A vida inteira para estar aqui
neste domingo,
nesta cidade sem história,
nesta chuva
mensageira de um medo
que não o de relâmpagos,
pois é mansa.
É inapelável morrer?
Não há um álibi, um fato novo,
um homem novo portador de alvíssaras?
Quatro meninos entram no matagal
e retornam fumando,
batendo o cisco da roupa.
Uma negra sobe a ladeira, um velho,
alguém joga o lixo
por um buraco no muro,
tudo como em mil novecentos e setenta e seis.
Por que se erra?
Queria escrever mil setecentos e noventa e seis,
que mecanismo desviou-me?

Há um cheiro no ar
que – para meu susto – mais ninguém percebe,
um cheiro de metal
que me fere as narinas,
cheiro de ferro.
Nada tem sentido,
quero uma bacia grande
para catar as partes e montá-las
quando as visitas se forem.
Ninguém me logra, pois não há ninguém,
é uma fita antiga de um cinema mudo,
os lábios movem-se e é só.
Senhor, Senhor Jesus, ouvi-me. Existo?
Faz tempo que não sonho, existo?
Responde-me, tem piedade de mim,
me dá a antiga alegria, os medos confortadores,
não este, este não, pois sou fraca demais.
Ouvi-me, pobre de mim,
Nossa Senhora da Conceição, valei-me.

PEDIDO DE ADOÇÃO

Estou com muita saudade
de ter mãe,
pele vincada,
cabelos para trás,
os dedos cheios de nós,
tão velha,
quase podendo ser a mãe de Deus
– não fosse tão pecadora.
Mas esta velha sou eu,
minha mãe morreu moça,
os olhos cheios de brilho,
a cara cheia de susto.
Ó meu Deus, pensava
que só de crianças se falava:
as órfãs.

A DIVA

Vamos ao teatro, Maria José?
Quem me dera,
desmanchei em rosca quinze quilos de farinha,
tou podre. Outro dia a gente vamos.
Falou meio triste, culpada,
e um pouco alegre por recusar com orgulho.
TEATRO! Disse no espelho.
TEATRO! Mais alto, desgrenhada.
TEATRO! E os cacos voaram
sem nenhum aplauso.
Perfeita.

SHOPSI

Hoje completa um ano
que estou fazendo terapia.
– E o que você conta ao doutor?
– Que tenho medo panifóbico
de ver minha mãe morrer.
– Só isso?
– Só. Coisa à toa,
feito não comer três dias
porque vi formiga de asas,
isso eu não conto mesmo,
só converso coisa séria.
– E ele?
– É muito paciencioso,
diz que meu caso é difícil
mas tem cura com o tempo
e qualquer dia me convida
para uma sessão no sítio.
– Você topa?
– Tou pensando,
vai que aparece lá
uma formiga de asas
e apronto aquele escândalo,
me diz com que cara eu volto
no consultório do homem!

– Mas ele está lá pra isso.
– Isso o quê?
– Tchauzinho, Catarina, tchau.

NEUROLINGUÍSTICA

Quando ele me disse
ô linda,
pareces uma rainha,
fui ao cúmice do ápice
mas segurei meu desmaio.
Aos sessenta anos de idade,
vinte de casta viuvez,
quero estar bem acordada,
caso ele fale outra vez.

FILHINHA

Deus não é severo mais,
suas rugas, sua boca vincada
são marcas de expressão
de tanto sorrir pra mim.
Me chama a audiências privadas,
me trata por Lucilinda,
só me proíbe coisas
visando meu próprio bem.
Quando o passeio
é à borda de precipícios,
me dá sua mão enorme.
Eu não sou órfã mais não.

ESTAÇÃO DE MAIO

A salvação opera nos abismos.
Na estação indescritível,
o gênio mau da noite me forçava
com saudade e desgosto pelo mundo.
A relva estremecia
mas não era para mim,
nem os pássaros da tarde.
Cães, crianças, ladridos
despossuíam-me.
Então rezei: salva-me, Mãe de Deus,
antes do tentador com seus enganos.
A senhora está perdida?
disse o menino,
é por aqui.
Voltei-me
e reconheci as pedras da manhã.

AURA

Em maio a tarde não arde
em maio a tarde não dura
em maio a tarde fulgura.

SINAL NO CÉU

É um tom de laranja
sobre os montes
um pensamento inarticulado
de que a Virgem
pôs o mundo no colo
e passeia com ele nos rosais.

Em sua essência, a poesia é algo horrível:
nasce de nós uma coisa que não sabíamos
[que está dentro de nós,
e piscamos os olhos como se atrás de nós
[tivesse saltado um tigre,
e tivesse parado na luz, batendo a cauda
[sobre os quadris.

Czeslaw Milosz
Tradução: Aleksandar Jovanovic

A duração do dia

Pediu-nos que a deixássemos respigar entre os feixes
de trigo e apanhar as espigas atrás dos segadores.

Rute 2,7

Os poemas reunidos em *A duração do dia* foram reproduzidos da edição publicada pela Editora Record (*A duração do dia*, Rio de Janeiro, 2010). (*N. do E.*)

TÃO BOM AQUI

Me escondo no porão
para melhor aproveitar o dia
e seu plantel de cigarras.
Entrei aqui pra rezar,
agradecer a Deus este conforto gigante.
Meu corpo velho descansa regalado,
tenho sono e posso dormir,
tendo comido e bebido sem pagar.
O dia lá fora é quente,
a água na bilha é fresca,
acredito que sugestiono elétrons.
Eu só quero saber do microcosmo,
o de tanta realidade que nem há.
Na partícula visível de poeira
em onda invisível dança a luz.
Ao cheiro de café minhas narinas vibram,
alguém vai me chamar.
Responderei amorosa,
refeita de sono bom.
Fora que alguém me ama,
eu nada sei de mim.

VIÉS

Ó lua, fragmento de terra na diáspora,
desejável deserto, lua seca.
Nunca me confessei às coisas,
tão melhor do que elas me julgava.
Hoje, por preposto de Deus escolho-te,
clarão indireto, luz que não cintila.
Quero misericórdia e por nenhum romantismo
sou movida.

TENTAÇÃO EM MAIO

Maio se extingue
e com tal luz
e de tal forma se extingue
que um pecado oculto me sugere:
não olhe porque maio não é seu.
Ninguém se livra de maio.
Encantados todos viram as cabeças:
'Do que é mesmo que falávamos?'
De tua luz eterna, ó maio,
rosa que se fecha sem fanar-se.

DIVINÓPOLIS

As hastes das gramíneas
pesavam de sementes
sob uma luz que,
asseguro-vos,
nascia da luz eterna.
Quis dizê-la e não pude,
ingurgitada de palavras
minha língua se confundia.
Cantei um hino conhecido
e foi pouco,
disse obrigada, Deus,
e foi nada.
Em meu auxílio
meu estômago doeu um pouco
pelo falso motivo
de que sofrendo
Deus me perdoaria.
Foi quando o trem passou,
uma grande composição
levando óleo inflamável.
Me lembrei de meu pai
corrompendo a palavra
que usava só para trens,
dizendo 'cumpusição'.

O último vagão na curva
e passa o pobre friorento
de blusa nova ganhada.
Aquiesci gozosa,
a língua muda,
a folha branca,
a mão pousada.

RUTE NO CAMPO

No quarto pequeno
onde o amor não pode nem gemer
admiro minhas lágrimas no espelho, sou humana,
quero o carinho que à ovelha mais fraca se dispensa.
Não parecem ser meus meus pensamentos.
Alguns versos restam inaproveitáveis,
belos como relíquias de ouro velho quebrado,
esquecidas no campo à sorte de quem as respigue.
A nudez apazigua porque o corpo é inocente,
só quer comer, casar, só pensa em núpcias,
comida quente na mesa comprida
pois sente fome, fome, muita fome.

FOSSE O CÉU SEMPRE ASSIM

Como num insuspeitado aposento
em casa que se conhece,
uma janela se abre para cascalho e areia,
pouca vegetação resistindo nas pedras,
esmeraldas à flor da terra.
Nada exubera. É Minas,
um homem com seu cavalo
se abeberando no córrego.

AQUI, TÃO LONGE

Neste bairro pobre todos têm um real
para comprar as frutas
do caminhão de São Paulo.
Homens não pagam às mulheres.
Todas da vida, dão de comer e comem
coisas, de si, agradecidas.
Só morrem os muito velhinhos
que pedem pra descansar.
Pais e mães vão-se às camas
pra fazerem seus filhinhos,
cadelas e cães à rua
fazerem seus cachorrinhos.
Ao crepúsculo me visita
essa memória dourada,
mentira meio existida,
verdade meio inventada.
O sol da tarde finando-se,
ao cheiro de lenha queimada
todos se vão à fogueira
dançar em volta das chamas
para um deus ainda sem nome,
um medo lhes protegendo,
um ritmo lhes ordenando,
jarro, caneca, bacia,

cama, coberta, desejo
que amanhã seja outro dia,
igual a este dia, igual,
igual a este dia, igual.

HISTÓRIA QUE ME CONTARAM

Vozes, lamparinas
e o cheiro de querosene da pobreza.
O órfão de um ano debatendo-se
choramingava no seu mar de fezes.
Deus está me mostrando o que será minha vida,
gemeu o viúvo,
arrepanhando o lençol por suas pontas.
Teve depois um sonho:
chegava em casa com uma nova mulher
e viu, da porteira, os filhos indo embora.
Ficou tão abalado, chorou tanto
que fez uma promessa: nunca mais casar-se.
Tinha beleza e fogo.
Mesmo sendo na história
me apaixonei pelo homem,
mesmo sem esperança.

IMAGEM E SEMELHANÇA

O gorila recolhido órfão
ao cativeiro urbano
ganha comida e afagos.
Mesmo assim,
bate a cabeça na jaula,
saudoso do que não viveu,
rumor de folhas, cheiros,
perigos na mata e a mãe.
Quero salvar o gorila
na sua língua de bicho.
Quando morre, para onde vai sua alma,
a quem serve sua dor,
seu tristíssimo olhar de desgarrado?
Há meninos assim, mas são humanos,
parece um horror menor.
Atracado às grades o gorila me olha,
é proibido mas lhe dou bananas.

HARRY POTTER

Quando era criança
escondia-me no galinheiro
hipnotizando galinhas.
Alguma força se esvaía de mim,
pois ficávamos tontas, eu e elas.
Ninguém percebia minha ausência,
o esforço de levantar-me pelas próprias orelhas,
tentando o maravilhoso.
Até hoje fico de tocaia
para óvnis, luzes misteriosas,
orar em línguas, ter o dom da cura.
Meu treinamento é ordenar palavras:
Sejam um poema, digo-lhes,
não se comportem como, no galinheiro,
eu com as galinhas tontas.

DÁDIVAS

Como boas senhoras brincam as marrecas,
falsas mofinas debicando nos filhos.
Ruflares, respingos, grasnares,
que bom estar no mundo
a esta hora do dia!
De maneira perfeita tudo é bom,
até mulheres boçais amam gerânios,
não se tem certeza de que vamos morrer,
velhas se consentem em suas vulvas,
agradecendo a Deus por seus maridos.
Até eu, pudica, arrisco: Ei, *baby*!
Meu corpo me ama e quer reciprocidade.
São os relógios
o mais obsoleto dos inventos.

ARGUMENTO

Tenho três namorados.
Um na Europa que é um boneco de gelo,
outro na cidade vendo futebol no rádio
e o terceiro tocando violão na roça.
Todos mamíferos, sangue vermelho e ossos friáveis.
Um deles cuspiu no chão, o que escolhi pra casar.
Mesmo tendo feito o que fez, só ele me perdoará.

RUA DO COMÉRCIO

Quase fora da loja a balconista
atrás de nesgas de sol.
'De listrinhas não tem,
só lisa, vermelha e preta,
fico devendo pra senhora.'
Fica não, minha filha,
vamos todos morrer, além do mais, sei não,
quero dizer, com certeza Deus se importa
com este pequeno desvario,
meias de lã com listrinhas.
Preciso delas pra não ficar dissonante.
Escuta lá o passarinho,
aproveita o sol como quer,
não peregrina tinhoso atrás de meias de lã
como se tivesse treze anos
e fosse a primeira vez calçar botinhas.
Está gritando agora na mangueira,
estou vestida apenas de minha pele
e tudo está muito bem.

MOTE DA VIÚVA

Sol com chuva
casamento da viúva
que de maneira discreta
oferece docinhos.
O noivo não disfarça a pressa
de ficar a sós com a experiente mulher.
É bom ter calma,
até que o último a sair
bata de novo à porta
querendo seu guarda-chuva.
Como de um satélite
que a olhos nus navega devagar,
vê-se a terra lá embaixo,
rios, campinas, cidadezinhas, torres,
entra dia, sai noite,
uma volta completa.
Lambendo o mel da lua a viúva
ensina o homem a raiar.

A SUSPENSÃO DO DIA

O Cordeiro repousa no mormaço,
esquecido dos pecadores
que também fazem a sesta,
esquecidos de seus pecados.
O mundo cai de cansaço.
A salvação, mais que viável,
é certa para santos e réprobos.
Molesto sem querer uma formiga
e ela debate-se
lutando para não morrer.
Rezo por ela delicadamente.
O sol define seu curso,
o cordeiro desperta seu pastor,
a inocente formiga
pica minha mão.

CONSTELAÇÃO

Olhava da vidraça
derramar-se a Via Láctea
sobre a massa das árvores.
Por causa do vidro, da transparência do ar,
ou porque me nasciam lágrimas,
tinha a impressão de que algumas estrelas
mergulhavam no rio,
outras paravam nos ramos.
Passageiros dormiam,
eu clamava por Deus
como o cachorro que sem ameaça aparente
latia desesperado na noite maravilhosa:
Ó Cordeiro de Deus, ó Cruzeiro do Sul,
ó Cordeiro, ó Cruzeiro!
Como o cão, minha língua ladrava
à aterradora beleza.

Obras da autora

Poesia
Bagagem, 1976
O coração disparado, 1978
Terra de Santa Cruz, 1981
O pelicano, 1987
A faca no peito, 1988
Poesia reunida, 1991
Oráculos de maio, 1999
A duração do dia, 2010

Prosa
Solte os cachorros, 1979
Cacos para um vitral, 1980
Os componentes da banda, 1984
O homem da mão seca, 1994
Manuscritos de Felipa, 1999
Prosa reunida, 1999
Filandras, 2001
Quero minha mãe, 2005
Quando eu era pequena, 2006 (infantil)
Carmela vai à escola, 2011 (infantil)

Antologias
Mulheres & mulheres, 1978
Palavra de mulher, 1979
Contos mineiros, 1984
Antologia da poesia brasileira, 1994. Publicado pela Embaixada do Brasil em Pequim.

Traduções
The Alphabet in the Park. Seleção de poemas com tradução de Ellen Watson. Publicado por Wesleyan University Press.
Bagaje. Tradução de José Franscisco Navarro, SJ. Publicado pela Universidad Iberoamericana no México.
The Headlong Heart. Tradução de Ellen Watson. Publicado por Livingston University Press.
Poesie. Antologia em italiano, precedida de estudo do tradutor Goffredo Feretto. Publicada pela Fratelli Frilli Editori, Gênova.

Índice de livros e poemas

BAGAGEM

O modo poético

Com licença poética, 19 • Grande desejo, 20 • Orfandade, 21 • Resumo, 22 • Círculo, 23 • Módulo de verão, 24 • Poema esquisito, 25 • Azul sobre amarelo, maravilha e roxo, 26 • Pistas, 27 • Exausto, 28 • Páscoa, 29 • Agora, ó José, 31 • Clareira, 33 • Impressionista, 34 • A despropósito, 35 • A hora grafada, 36 • Bucólica nostálgica, 37 • Para comer depois, 38 • Atávica, 39 • Explicação de poesia sem ninguém pedir, 40 • Endecha, 41 • Um homem doente faz a oração da manhã, 42 • Endecha das três irmãs, 43 • Bendito, 44 • Refrão e assunto de cavaleiro e seu cavalo medroso, 46 • Anímico, 48 • Descritivo, 49 • Cabeça, 50 • Sítio, 51 • Tabaréu, 53

Um jeito e amor

Amor violeta, 57 • A serenata, 58 • O sempre amor, 59 • A meio pau, 60 • Os lugares comuns, 61 • Psicórdica, 62 • Bilhete em papel rosa, 63 • Um jeito, 64 • Confeito, 65 • Fatal, 66 • Amor feinho, 67 • Briga no beco, 68 • Canção de amor, 69 • Para o Zé, 70

A sarça ardente

Janela, 75 • Chorinho doce, 76 • O vestido, 77 • A cantiga, 78 • Dona Doida, 79 • Verossímil, 80 • Registro, 81 • Mosaico, 82 • Ensinamento, 83 • Insônia, 84 • Fé, 85 • O retrato, 86 • O reino do céu, 87 • Modinha, 89 • Figurativa, 90 • Para perpétua memória, 91 • As mortes sucessivas, 92

O CORAÇÃO DISPARADO

Linhagem, 95 • O guarda-chuva preto, 97 • Flores, 98 • A casa, 99 • Primeira infância, 100 • Dois vocativos, 101 • Solar, 102 • Esperando Sarinha, 103 • Roça, 104 • Tempo, 105 • Ruim, 106 • Bulha, 108 • Tulha, 109 • Eh!, 110 • Hora do Ângelus, 112 • Regional, 113 • Campo-santo, 115 • Bairro, 117 • Gênero, 118 • Corridinho, 119 • Contra o muro, 120 • Dolores, 121 • Códigos, 123 • Fluência, 124 • Instância, 125 • Um bom motivo, 126

TERRA DE SANTA CRUZ

Cacos para um vitral, 131 • A face de Deus é vespas, 132 • Amor, 133 • O amor no éter, 135 • Casamento, 136 • A menina e a fruta, 137 • Lembrança de maio, 138 • A filha da antiga lei, 139 • O anticristo ronda meu coração, 140 • Festa do corpo de Deus, 141 • A porta estreita, 143

O PELICANO

Fibrilações, 147 • Lirial, 148 • As seis badaladas do entardecer, 149 • Morte morreu, 150 • A esfinge, 151 •

Responsório, 152 • Duas horas da tarde no Brasil, 154 • A batalha, 156 • Caderno de desenho, 157 • Pranto para comover Jonathan, 159 • Adoração noturna, 160

A FACA NO PEITO

Em português, 163 • Artefato nipônico, 164 • Parâmetro, 165 • Como um bicho, 166 • Matéria, 167 • Formas, 168 • Poema começado do fim, 169 • A seduzida, 170 • Bilhete da ousada donzela, 171 • O aprendiz de ermitão, 172

ORÁCULOS DE MAIO

O tesouro escondido, 177 • Mural, 178 • Justiça, 179 • *Mater dolorosa*, 180 • Vaso noturno, 181 • O intenso brilho, 182 • Invitatório, 183 • Pedido de adoção, 185 • A diva, 186 • Shopsi, 187 • Neurolinguística, 189 • Filhinha, 190 • Estação de maio, 191 • Aura, 192 • Sinal do céu, 193

A DURAÇÃO DO DIA

Tão bom aqui, 199 • Viés, 200 • Tentação em maio, 201 • Divinópolis, 202 • Rute no campo, 204 • Fosse o céu sempre assim, 205 • Aqui, tão longe, 206 • História que me contaram, 208 • Imagem e semelhança, 209 • Harry Porter, 210 • Dádivas, 211 • Argumento, 212 • Rua do Comércio, 213 • Mote da viúva, 214 • A suspensão do dia, 215 • Constelação, 216

ATENDIMENTO AO LEITOR E VENDAS DIRETAS

Você pode adquirir os títulos da BestBolso através do Marketing Direto do Grupo Editorial Record.

- Telefone: (21) 2585-2002
  (de segunda a sexta-feira, das 9h às 18h)
- E-mail: sac@record.com.br
- Fax: (21) 2585-2010

Entre em contato conosco caso tenha alguma dúvida, precise de informações ou queira se cadastrar para receber nossos informativos de lançamentos e promoções.

Nossos sites:
www.edicoesbestbolso.com.br
www.record.com.br

EDIÇÕES BESTBOLSO

Alguns títulos publicados

1. *Reunião de poemas*, Gregório de Matos
2. *Mensagem*, Fernando Pessoa
3. *As melhores crônicas de Fernando Sabino*, Fernando Sabino
4. *50 crônicas escolhidas*, Rubem Braga
5. *Eles eram muitos cavalos*, Luiz Ruffato
6. *A casa das sete mulheres*, Leticia Wierzchowski
7. *O primo Basílio*, Eça de Queirós
8. *A cidade e as serras*, Eça de Queirós
9. *O crime do padre Amaro*, Eça de Queirós
10. *Paula*, Isabel Allende
11. *Orgulho e preconceito*, Jane Austen
12. *A abadia de Northanger*, Jane Austen
13. *Razão e sensibilidade*, Jane Austen
14. *Persuasão*, Jane Austen
15. *Mansfield Park*, Jane Austen
16. *Emma*, Jane Austen
17. *O grande Gatsby*, F. Scott Fitzgerald
18. *Os belos e malditos*, F. Scott Fitzgerald
19. *Este lado do paraíso*, F. Scott Fitzgerald
20. *O último magnata*, F. Scott Fitzgerald
21. *O Gattopardo*, Tomasi di Lampedusa
22. *O estrangeiro*, Albert Camus
23. *O Lobo da Estepe*, Hermann Hesse
24. *As vinhas da ira*, John Steinbeck
25. *Em algum lugar do passado*, Richard Matheson
26. *Uma confraria de tolos*, John Kennedy Toole
27. *Octaedro*, Julio Cortázar
28. *Todos os fogos o fogo*, Julio Cortázar
29. *As armas secretas*, Julio Cortázar
30. *Histórias de cronópios e de famas*, Julio Cortázar

Este livro foi composto na tipologia Minion Pro Regular,
em corpo 11,5/14, e impresso em papel off-set 75g/m² no Sistema
Cameron da Divisão Gráfica da Distribuidora Record.